¿cómo se dice en inglés?

1351

PALABRAS
ILUSTRADAS

para descubrir

¿cómo se dice en inglés?

1351

PALABRAS ILUSTRADAS

para descubrir

TORMONT

Ilustraciones de Giuseppe Donghi

© 1994 Dami Editore, Italia

Publicado en 2002 por:
Tormont Publications Inc.
338 Saint Antoine St. East
Montreal, Canada H2Y 1A3
Tel. (514) 954-1441
Fax (514) 954-5086
www.tormont.com

Distribuido en México por:
Programa Educativo Oaxaca S.A. de C.V.
Adolfo Ruiz Cotinez No. 407
Colonia Guadalupe Victoria, Oaxaca
Oaxaca, C.P. 68030. México
RFC. PEO941017-M46

Impreso en China

¡Qué fácil es aprender inglés!

¡Gracias a este libro podrás aprender 1351 palabras en inglés! Son muchas ¿verdad?

Me imagino que te preguntarás cómo harás para recordarlas todas. ¡Será muy fácil! En este libro hemos ilustrado cada palabra en forma divertida para ayudarte a memorizarla. Por ejemplo, observa las ilustraciones al final de esta página y comprenderás inmediatamente los significados de las palabras "TO COUNT" y "TAIL". ¡Adivinaste! "TO COUNT", significa contar y "TAIL", significa cola.

La pronunciación es muy importante. Por eso, debajo de cada palabra en inglés encontrarás la adaptación fonética que te permitirá leerla tal y como se dice en ese idioma.

¡Ya verás qué fácil es aprender inglés!

Acerca de la pronunciación

En este libro hemos indicado la pronunciación de las palabras inglesas. Esta especial transcripción fonética fue elaborada teniendo en cuenta los sonidos característicos y la entonación del español, sin hacer uso de los signos fonéticos internacionales. Cualquier persona podrá leer la palabra inglesa y con la ayuda de los acentos (prosódicos) saber cuál sílaba, o sílabas, se pronuncian con más fuerza en cada palabra.

A

A / AN
(éi, an)

UN / UNO / UNA

ABOVE
(ébov)

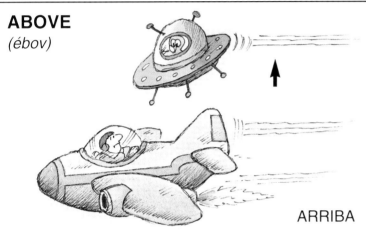

ARRIBA

ABSENT
(ábsent)

AUSENTE

ACCIDENT
(áxident)

ACCIDENTE

ACROSS
(ekrós)

A TRAVÉS

ADD (TO)
(tu ad)

AÑADIR / AGREGAR

ADDRESS
(ádres)

DIRECCIÓN

ADULT
(ádolt)

ADULTO

ADVANTAGE
(edvántech)

VENTAJA

ADVENTURE
(edvénchur)

AVENTURA

AFRAID (TO BE)
(tu bi efréid)

MIEDO (TENER)

AFTER
(áfter)

DESPUÉS

AGAINST
(eguéinst)

CONTRA

AGE
(éich)

EDAD

AIR
(er)

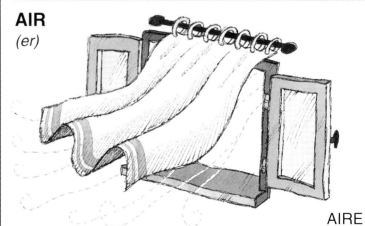

AIRE

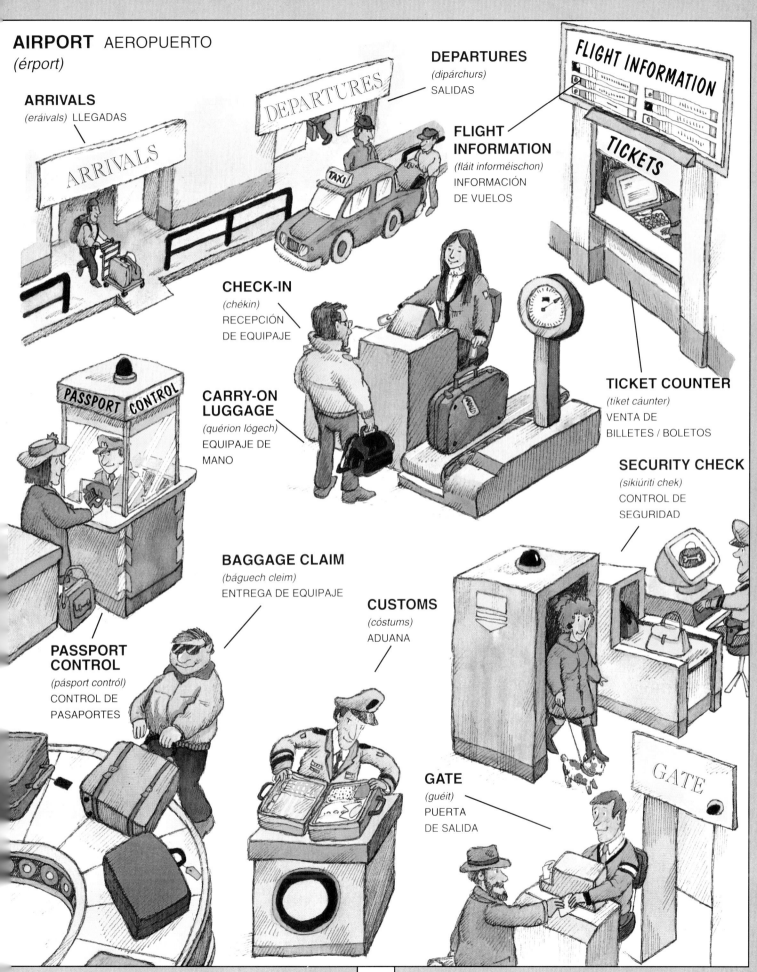

AIRPORT AEROPUERTO
(érport)

ARRIVALS
(eráivals) LLEGADAS

DEPARTURES
(dipárchurs)
SALIDAS

FLIGHT INFORMATION

FLIGHT INFORMATION
(fláit informéischon)
INFORMACIÓN
DE VUELOS

TICKETS

CHECK-IN
(chékin)
RECEPCIÓN
DE EQUIPAJE

TICKET COUNTER
(tiket cáunter)
VENTA DE
BILLETES / BOLETOS

PASSPORT CONTROL

CARRY-ON LUGGAGE
(quérion lógech)
EQUIPAJE DE
MANO

SECURITY CHECK
(sikiúriti chek)
CONTROL DE
SEGURIDAD

BAGGAGE CLAIM
(báguech cleim)
ENTREGA DE EQUIPAJE

CUSTOMS
(cóstums)
ADUANA

PASSPORT CONTROL
(pásport contról)
CONTROL DE
PASAPORTES

GATE
(guéit)
PUERTA
DE SALIDA

GATE

AIRPORT AEROPUERTO
(érport)

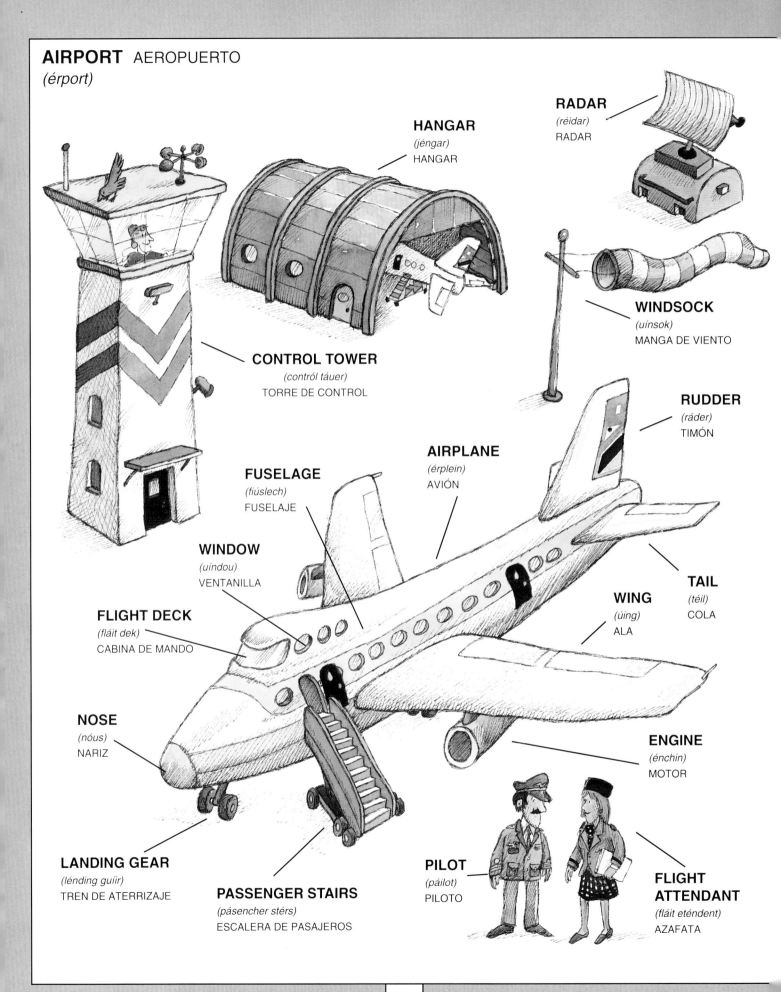

HANGAR
(jéngar)
HANGAR

RADAR
(réidar)
RADAR

WINDSOCK
(uínsok)
MANGA DE VIENTO

CONTROL TOWER
(contról táuer)
TORRE DE CONTROL

RUDDER
(ráder)
TIMÓN

AIRPLANE
(érplein)
AVIÓN

FUSELAGE
(fiúslech)
FUSELAJE

WINDOW
(uíndou)
VENTANILLA

TAIL
(téil)
COLA

WING
(úing)
ALA

FLIGHT DECK
(fláit dek)
CABINA DE MANDO

NOSE
(nóus)
NARIZ

ENGINE
(énchin)
MOTOR

LANDING GEAR
(lénding guíir)
TREN DE ATERRIZAJE

PASSENGER STAIRS
(pásencher stérs)
ESCALERA DE PASAJEROS

PILOT
(páilot)
PILOTO

FLIGHT ATTENDANT
(fláit eténdent)
AZAFATA

ALARM CLOCK
(alárm clok)

RELOJ DESPERTADOR

ALIVE
(eláiv)

VIVO

ALL
(ool)

TODO

ALONE
(elón)

SOLO

ALSO
(ólso)

TAMBIÉN

ALWAYS
(ólueis)

SIEMPRE

AND
(and)

Y

ANGRY
(angri)

ENFADADO / ENOJADO

ANIMALS ANIMALES
(énimals)

BIRD
(berd)
PÁJARO

CAT
(caat)
GATO

BEAR
(béer)
OSO

HEN
(jen)
GALLINA

ROOSTER
(rúster)
GALLO

COW
(cáu)
VACA

DOG
(dog)
PERRO

MONKEY
(mónki)
MONO

GORILLA
(goríla)
GORILA

OWL
(aaul)
BÚHO

PIG
(pig)
CERDO

12

TIGER
(táiguer)
TIGRE

DONKEY
(dónki)
ASNO

ZEBRA
(síbra)
CEBRA

LEPHANT
efant)
EFANTE

SHEEP
(schíip)
OVEJA

KANGAROO
(kéngueru)
CANGURO

LION
(láion)
LEÓN

HORSE
(jors)
CABALLO

HALE
il)
LENA

RABBIT
(rábit)
CONEJO

FROG
(frog)
RANA

13

ANSWER
(ánser)

RESPUESTA

ARMCHAIR
(ármcheer)

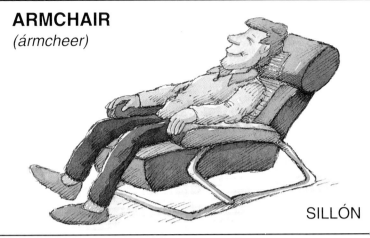

SILLÓN

ARROW
(árou)

FLECHA

ASK (TO)
(tu ask)

PREGUNTAR

ASLEEP
(eslíp)

DORMIDO

ASTRONAUT
(ástronot)

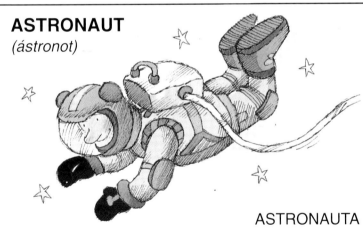

ASTRONAUTA

AT
(at)

EN

AWAKE
(euéik)

DESPIERTO

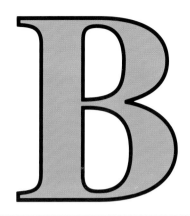

B

BAD
(báad)

MALO

BAG
(báag)

BOLSA

BAKERY
(béikeri)

PANADERÍA

BALL
(bool)

PELOTA

BALLOON
(balúun)

GLOBO

BANK
(bank)

BANCO

BARE
(béer)

DESNUDO

BARN
(barn)

ESTABLO

BASKET
(básket)

CESTA /
CANASTA

BATH (TO TAKE A)
(tu teik e bad)

BAÑERA (BAÑARSE)

BE (TO)
(tu bi)

SER / ESTAR

BEACH
(bíich)

PLAYA

BEARD
(biird)

BARBA

BEAUTIFUL
(biútiful)

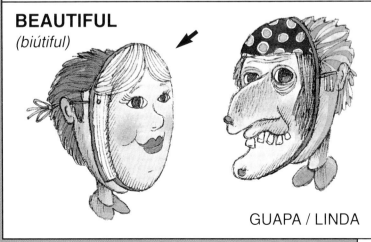

GUAPA / LINDA

BECOME (TO)
(tu bikám)

CONVERTIRSE

BED
(béd)

CAMA

BEE
(bíi)

ABEJA

BEFORE
(bifór)

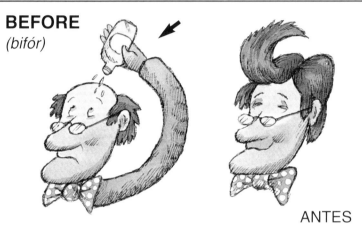

ANTES

BEHIND
(bijáind)

DETRÁS

BELL
(beel)

TIMBRE

BELOW
(bilóo)

DEBAJO

BESIDE
(bisáid)

AL LADO

BETWEEN
(bituín)

ENTRE

17

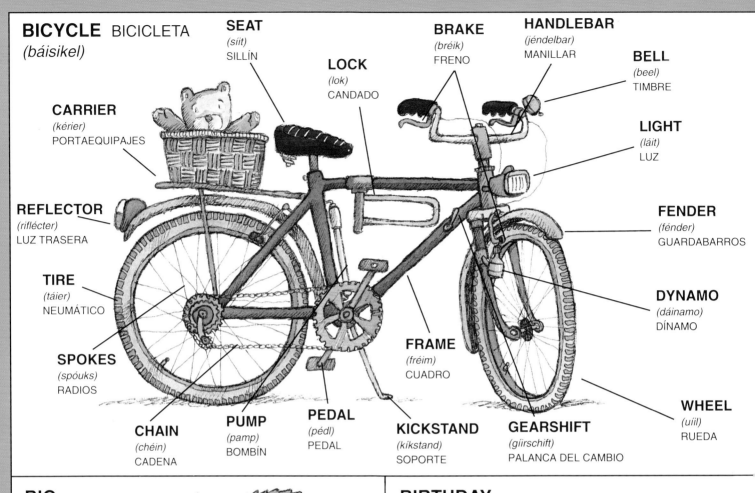

BICYCLE BICICLETA
(báisikel)

SEAT
(síit)
SILLÍN

LOCK
(lok)
CANDADO

BRAKE
(bréik)
FRENO

HANDLEBAR
(jéndelbar)
MANILLAR

BELL
(beel)
TIMBRE

CARRIER
(kérier)
PORTAEQUIPAJES

LIGHT
(láit)
LUZ

REFLECTOR
(riflécter)
LUZ TRASERA

FENDER
(fénder)
GUARDABARROS

TIRE
(táier)
NEUMÁTICO

DYNAMO
(dáinamo)
DÍNAMO

SPOKES
(spóuks)
RADIOS

FRAME
(fréim)
CUADRO

WHEEL
(uíil)
RUEDA

CHAIN
(chéin)
CADENA

PUMP
(pamp)
BOMBÍN

PEDAL
(pédl)
PEDAL

KICKSTAND
(kíkstand)
SOPORTE

GEARSHIFT
(giirschift)
PALANCA DEL CAMBIO

BIG
(big)

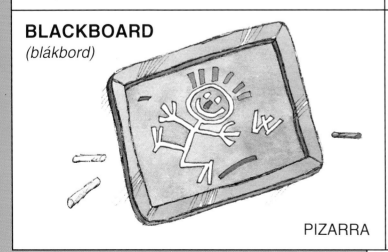

GRANDE

BIRTHDAY
(bérdei)

CUMPLEAÑOS

BLACKBOARD
(blákbord)

PIZARRA

BLANKET
(blánket)

MANTA

18

BLOCK
(blok)

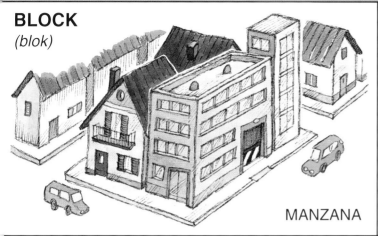

MANZANA

BLOND
(blond)

RUBIO

BLOOD
(blad)

SANGRE

BLUSH (TO)
(tu blasch)

SONROJARSE

BOAT BARCA
(bóut)

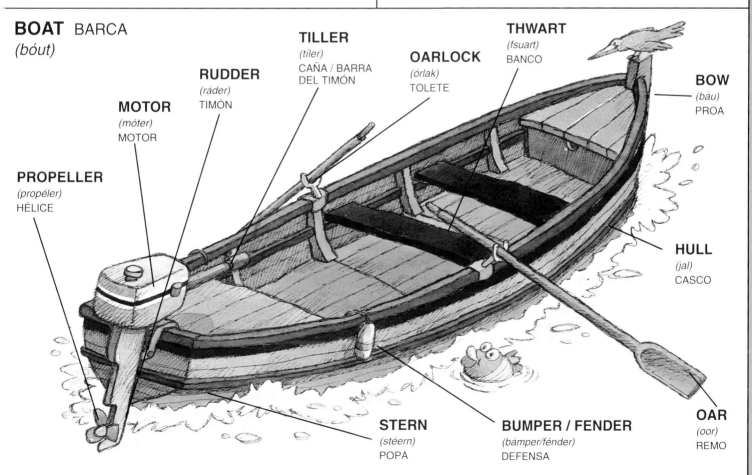

TILLER
(tíler)
CAÑA / BARRA
DEL TIMÓN

RUDDER
(ráder)
TIMÓN

MOTOR
(móter)
MOTOR

OARLOCK
(órlak)
TOLETE

THWART
(fsuart)
BANCO

BOW
(báu)
PROA

PROPELLER
(propéler)
HÉLICE

HULL
(jal)
CASCO

STERN
(stéern)
POPA

BUMPER / FENDER
(bámper/fénder)
DEFENSA

OAR
(oor)
REMO

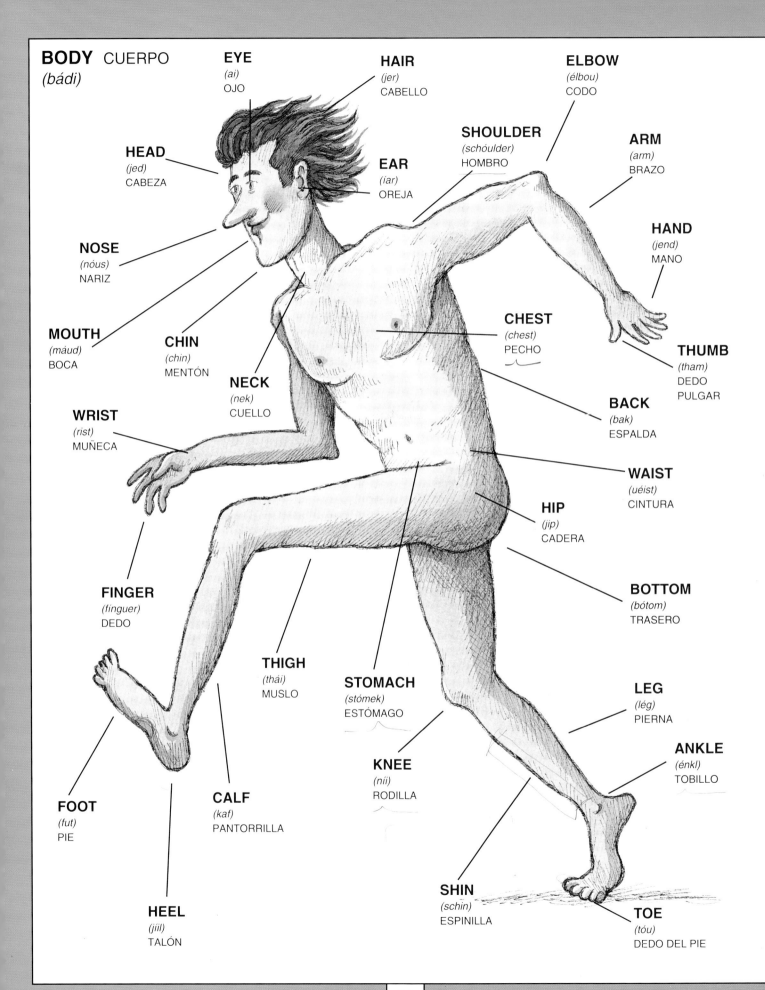

BODY CUERPO
(bádi)

EYE
(ai)
OJO

HAIR
(jer)
CABELLO

ELBOW
(élbou)
CODO

HEAD
(jed)
CABEZA

EAR
(íar)
OREJA

SHOULDER
(schóulder)
HOMBRO

ARM
(arm)
BRAZO

NOSE
(nóus)
NARIZ

HAND
(jend)
MANO

CHEST
(chest)
PECHO

THUMB
(tham)
DEDO
PULGAR

MOUTH
(máud)
BOCA

CHIN
(chin)
MENTÓN

NECK
(nek)
CUELLO

BACK
(bak)
ESPALDA

WRIST
(rist)
MUÑECA

WAIST
(uéist)
CINTURA

HIP
(jip)
CADERA

FINGER
(fínguer)
DEDO

BOTTOM
(bótom)
TRASERO

THIGH
(thái)
MUSLO

STOMACH
(stómek)
ESTÓMAGO

LEG
(lég)
PIERNA

FOOT
(fut)
PIE

CALF
(kaf)
PANTORRILLA

KNEE
(níi)
RODILLA

ANKLE
(énkl)
TOBILLO

HEEL
(jíil)
TALÓN

SHIN
(schin)
ESPINILLA

TOE
(tóu)
DEDO DEL PIE

20

BONE
(bóun)

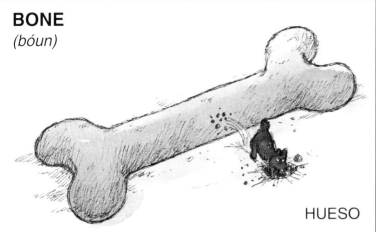

HUESO

BOOK
(buk)

LIBRO

BOSS
(bos)

JEFE

BOTTLE
(bótl)

BOTELLA

BOTTOM
(bótom)

FONDO

BOX
(boks)

CAJA

BOY
(bói)

CHICO / NIÑO

BRAIN
(bréin)

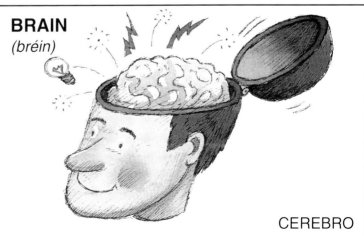

CEREBRO

BREAKFAST DESAYUNO
(brékfast)

SUGAR
(schúgar)
AZÚCAR

JAM
(gém)
MERMELADA

CEREAL
(síriel)
CEREAL

TEA
(ti)
TÉ

YOGURT
(ióguert)
YOGUR

BUTTER
(báter)
MANTEQUILLA

COFFEE
(cófi)
CAFÉ

FRUIT JUICE
(frútgius)
ZUMO / JUGO DE FRUTAS

BACON
(béiken)
TOCINO

MILK
(milk)
LECHE

BISCUIT
(bískit)
GALLETA

TOAST
(tóust)
TOSTADA

SAUSAGE
(sósidg)
SALCHICHA

EGG
(ég)
HUEVO

CROISSANT *(cruáson)*
CROISSANT

BRIDGE
(bridg)

PUENTE

BRIGHT
(bráit)

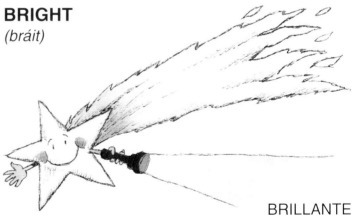

BRILLANTE

BROOM
(brúum)

ESCOBA

BRUSH
(brash)

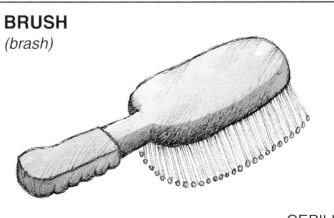

CEPILLO

BUILD (TO)
(tu bild)

CONSTRUIR

BURN (TO)
(tu bern)

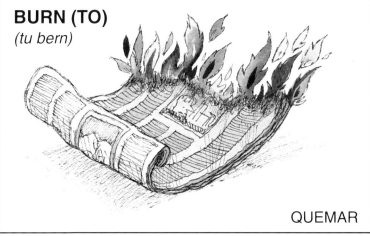

QUEMAR

BUS
(bas)

AUTOBÚS

BUSY (TO BE)
(tu bi bísi)

OCUPADO (ESTAR)

BUT
(bat)

PERO

BUTTERFLY
(báterflai)

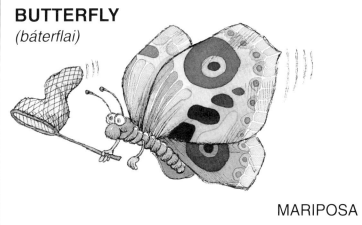

MARIPOSA

BUTTON
(bátn)

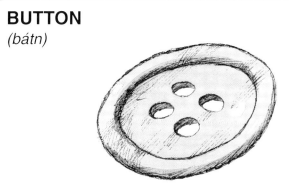

BOTÓN

BUY (TO)
(tu bái)

COMPRAR

C

CALCULATOR
(kelkiuléitor)

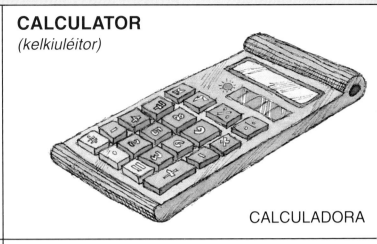

CALCULADORA

CALENDAR
(kélendar)

CALENDARIO

CALL (TO)
(tu col)

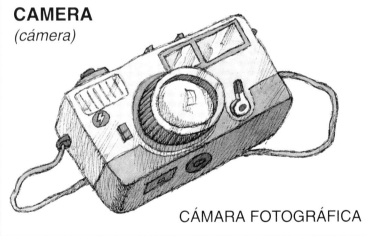

LLAMAR

CALM
(calm)

CALMA

CAMERA
(cámera)

CÁMARA FOTOGRÁFICA

CAN
(ken)

PODER

CANDLE
(kéndl)

VELA

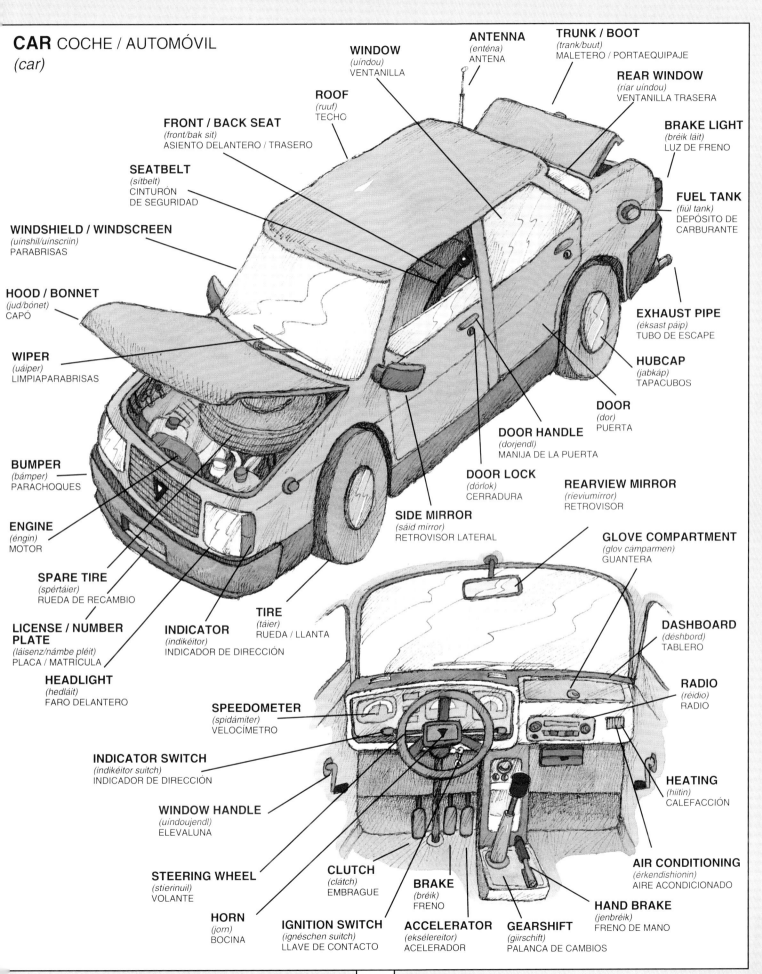

CAR COCHE / AUTOMÓVIL
(car)

WINDOW
(uíndou)
VENTANILLA

ANTENNA
(enténa)
ANTENA

TRUNK / BOOT
(trank/buut)
MALETERO / PORTAEQUIPAJE

ROOF
(ruuf)
TECHO

REAR WINDOW
(riar uíndou)
VENTANILLA TRASERA

FRONT / BACK SEAT
(front/bak sit)
ASIENTO DELANTERO / TRASERO

BRAKE LIGHT
(bréik láit)
LUZ DE FRENO

SEATBELT
(sitbelt)
CINTURÓN
DE SEGURIDAD

FUEL TANK
(fiúl tank)
DEPÓSITO DE
CARBURANTE

WINDSHIELD / WINDSCREEN
(uinshil/uínscriin)
PARABRISAS

HOOD / BONNET
(jud/bónet)
CAPÓ

EXHAUST PIPE
(éksast páip)
TUBO DE ESCAPE

WIPER
(uáiper)
LIMPIAPARABRISAS

HUBCAP
(jabkáp)
TAPACUBOS

DOOR
(dor)
PUERTA

DOOR HANDLE
(dorjendl)
MANIJA DE LA PUERTA

BUMPER
(bámper)
PARACHOQUES

DOOR LOCK
(dórlok)
CERRADURA

REARVIEW MIRROR
(rieviumírror)
RETROVISOR

ENGINE
(éngin)
MOTOR

SIDE MIRROR
(sáid mirror)
RETROVISOR LATERAL

GLOVE COMPARTMENT
(glov cámparmen)
GUANTERA

SPARE TIRE
(spértáier)
RUEDA DE RECAMBIO

TIRE
(táier)
RUEDA / LLANTA

DASHBOARD
(déshbord)
TABLERO

LICENSE / NUMBER PLATE
(láisenz/námbe pléit)
PLACA / MATRÍCULA

INDICATOR
(indikéitor)
INDICADOR DE DIRECCIÓN

RADIO
(réidio)
RADIO

HEADLIGHT
(hedláit)
FARO DELANTERO

SPEEDOMETER
(spidámiter)
VELOCÍMETRO

INDICATOR SWITCH
(indikéitor suitch)
INDICADOR DE DIRECCIÓN

HEATING
(hiitin)
CALEFACCIÓN

WINDOW HANDLE
(uíndoujendl)
ELEVALUNA

STEERING WHEEL
(stierinuil)
VOLANTE

CLUTCH
(clátch)
EMBRAGUE

BRAKE
(bréik)
FRENO

AIR CONDITIONING
(érkendishionin)
AIRE ACONDICIONADO

HORN
(jorn)
BOCINA

IGNITION SWITCH
(ignéschen suitch)
LLAVE DE CONTACTO

ACCELERATOR
(eksélereitor)
ACELERADOR

GEARSHIFT
(gíirshift)
PALANCA DE CAMBIOS

HAND BRAKE
(jenbréik)
FRENO DE MANO

CARDS
(cards)

NAIPES

CARE (TO TAKE...OF)
(tu téik kér ov)

CUIDAR

CARRY (TO)
(tu kéri)

LLEVAR

CARTOONS
(cartúns)

DIBUJOS ANIMADOS

CASH
(késh)

DINERO EN EFECTIVO

CASTLE
(cásel)

CASTILLO

CATCH (TO)
(tu kétch)

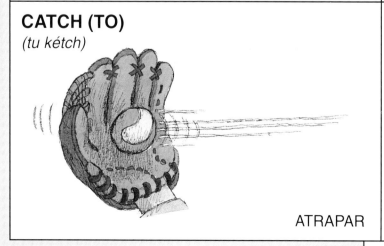

ATRAPAR

CATERPILLAR
(kétepilar)

ORUGA

CELEBRATE (TO)
(tu célebréit)

CELEBRAR

CENTER
(cénter)

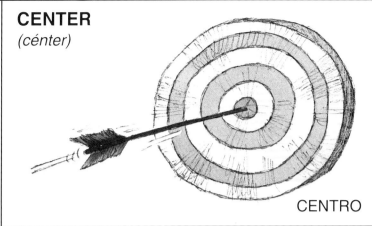

CENTRO

CENTIMETER
(céntimiter)

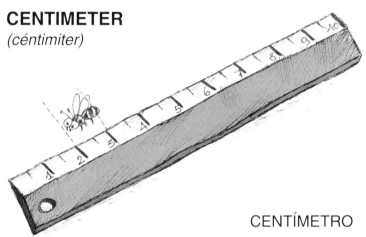

CENTÍMETRO

CHANGE
(chéinch)

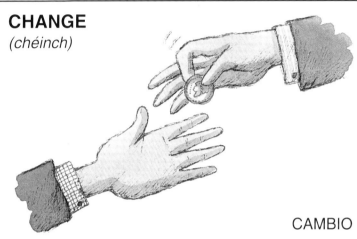

CAMBIO

CHANGE (TO)   *(tu chéinch)*

CAMBIAR

CHECK
(chék)

CHEQUE

CHEMIST'S / PHARMACY   *(kémists/fármasi)*

QUÍMICO / FARMACIA

CHESTNUT
(chésnat)

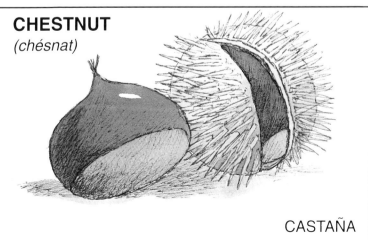

CASTAÑA

27

CHILD / CHILDREN
(chiáild/children)

NIÑOS

CHOCOLATE
(chókoleit)

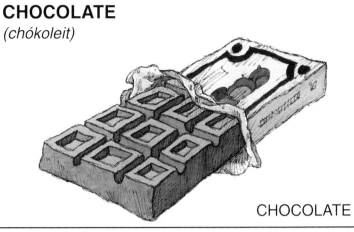

CHOCOLATE

CHURCH
(chertch)

IGLESIA

CINEMA
(cínema)

CINE

CIRCUS
(sérkes)

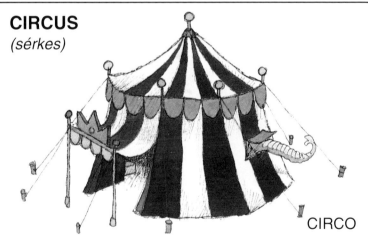

CIRCO

CITY
(cíti)

CIUDAD

CLASSROOM
(clásrum)

AULA /
SALÓN DE CLASE

CLEAN
(cliin)

LIMPIO

28

CLOTHES ROPA
(clóus)

CAP
(cap)
GORRA

T-SHIRT
(tíschert)
CAMISETA

WINDBREAKER
(winbréiker)
CAZADORA /
CHAQUETA

BELT
(belt)
CINTURÓN

TENNIS SHOES
(ténischius)
ZAPATILLAS / ZAPATOS
DE TENIS

JEANS
(gins)
VAQUEROS /
JEANS

HAT
(ját)
SOMBRERO

SHIRT
(schert)
CAMISA

TIE
(tai)
CORBATA

JACKET
(gékit)
AMERICANA /
CHAQUETA

VEST
(vest)
CHALECO

COAT
(cóut)
ABRIGO

GLOVE
(glov)
GUANTE

PANTS / TROUSERS
(pents/tráuses)
PANTALÓN

SHOE
(shiú)
ZAPATO

BARRETTE
(barét)
PASADOR

SWEATER
(suéter)
JERSEY /
SUÉTER

SKIRT
(skért)
FALDA

SOCK
(sok)
CALCETÍN /
MEDIAS

DRESS
(drés)
VESTIDO

EARRING
(irin)
PENDIENTE / ARETE

BLOUSE
(bláuz)
BLUSA

HANDKERCHIEF
(hénkechif)
PAÑUELO

OVERCOAT
(óuverkout)
GABARDINA

SUIT
(sut)
TRAJE

PURSE
(pérs)
BOLSO /
CARTERA

STOCKINGS
(stókins)
MEDIAS

BOOT
(buut)
BOTA

CLOUD
(cláud)

NUBE

CLOWN
(kláun)

PAYASO

COCK
(kok)

GALLO

COCONUT
(cókenat)

COCO

COIN
(cóin)

MONEDA

COLD *(cóuld)*

FRÍO

COLD
(cóuld)

RESFRIADO

COLLEGE
(kóledg)

COLEGIO

COLORS COLORES
(kálers)

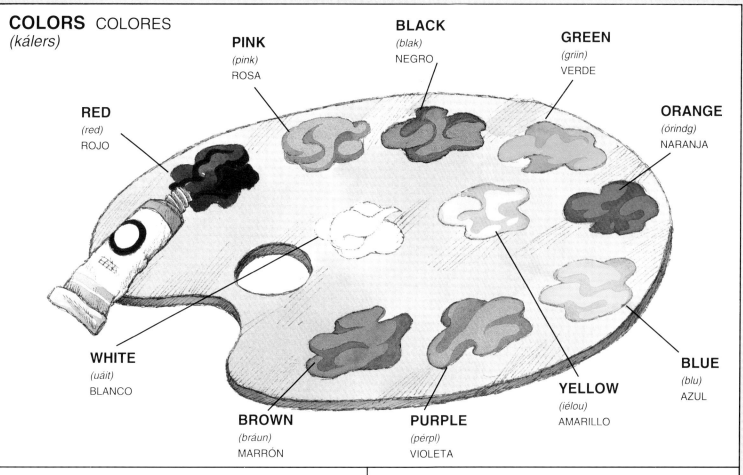

PINK
(pink)
ROSA

BLACK
(blak)
NEGRO

GREEN
(griin)
VERDE

RED
(red)
ROJO

ORANGE
(órindg)
NARANJA

WHITE
(uáit)
BLANCO

BROWN
(bráun)
MARRÓN

PURPLE
(pérpl)
VIOLETA

YELLOW
(iélou)
AMARILLO

BLUE
(blu)
AZUL

COMB
(cóum)

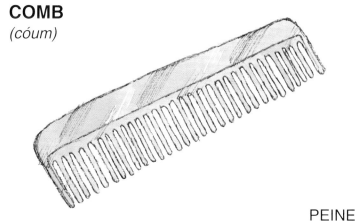

PEINE

COME (TO)
(tu cam)

VENIR

COMPETITION
(competíschen)

COMPETICIÓN

COMPUTER
(compiúter)

ORDENADOR / COMPUTADOR

31

CONCERT
(cóncert)

CONCIERTO

CONGRATULATIONS!
(kengretiuleischens)

¡ENHORABUENA! / ¡FELICITACIONES!

CONVERSATION
(converséischon)

CONVERSACIÓN

COOK (TO)
(tu cuk)

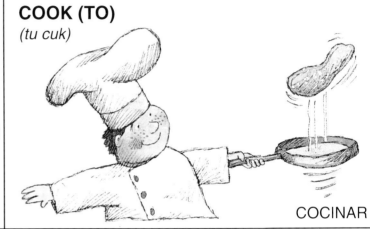

COCINAR

COPY (TO)
(tu copi)

COPIAR

COSTUME
(cóstium)

DISFRAZ

COUNT (TO)
(tu cáunt)

CONTAR

COUNTRY
(cántry)

CAMPO

COWBOY
(cáuboi)

VAQUERO

CRACK
(krek)

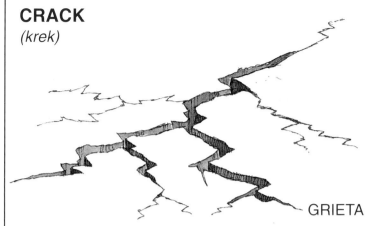

GRIETA

CROSS (TO)
(tu kros)

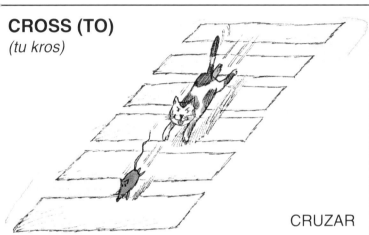

CRUZAR

CRY (TO)
(tu crái)

LLORAR

CUP
(cap)

TAZA

CUPBOARD
(káberd)

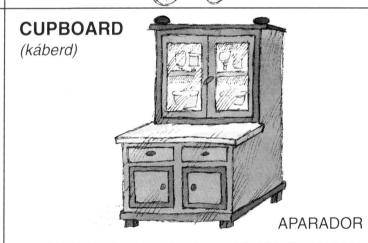

APARADOR

CUSTOMER
(cástemr)

CLIENTE

CUT (TO)
(tu cat)

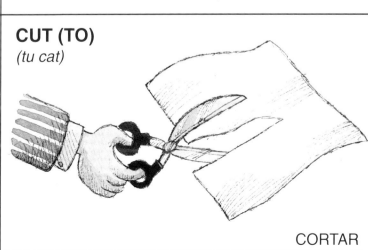

CORTAR

33

D

DAILY
(déili)

DIARIO

DAMAGE (TO)
(tu démedg)

ESTROPEAR / DAÑAR

DANCE (TO) *(tu dans)*

BAILAR

DANDELION *(déndilaion)*

DIENTE DE LEÓN

DANGER
(déingier)

PELIGRO

DARK
(dárk)

OSCURO

DATE
(déit)

FECHA

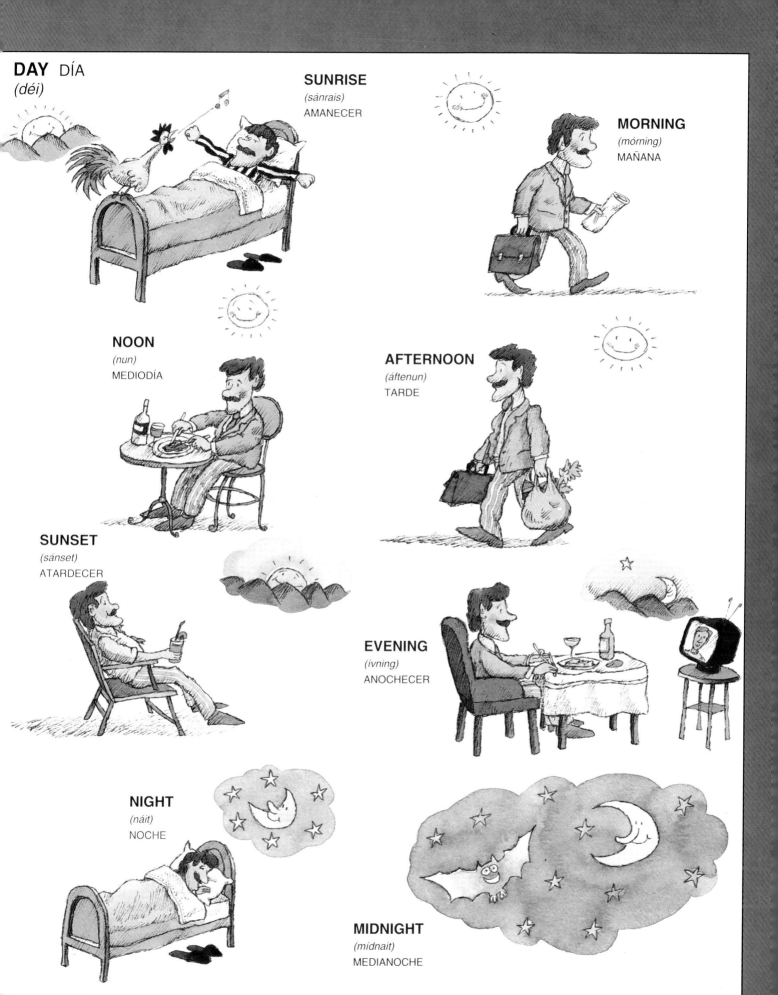

DAY DÍA
(déi)

SUNRISE
(sánrais)
AMANECER

MORNING
(mórning)
MAÑANA

NOON
(nun)
MEDIODÍA

AFTERNOON
(áftenun)
TARDE

SUNSET
(sánset)
ATARDECER

EVENING
(ívning)
ANOCHECER

NIGHT
(náit)
NOCHE

MIDNIGHT
(mídnait)
MEDIANOCHE

DEAD
(ded)

MUERTO

DEAR
(díar)

QUERIDO

DECIDE (TO)
(tu disáid)

DECIDIR

DELIVER (TO)
(tu dilíver)

ENTREGAR

DESERT
(désert)

DESIERTO

DESK
(desk)

knob
→
circulares

ESCRITORIO

DIFFERENT
(dífrent)

DIFERENTE

DIFFICULT
(díficolt)

DIFÍCIL

DINNER CENA
(díner)

DRINKS
(drinks)
BEBIDAS

APPETIZER
(apitáizar)
ENTREMESES

SOUP
(sup)
SOPA

HAM
(jem) JAMÓN

MEAT
(mit)
CARNE

FISH
(fish)
PESCADO

ROAST BEEF
(róustbif)
ASADO DE BUEY /
DE RES

OLIVES
(ólivs)
ACEITUNAS

STUFFING
(stáfing) RELLENO

GAME
(géim)
AVES DE CAZA

VEAL ROAST
(vilróust)
TERNERA ASADA

STEW
(stiú)
ESTOFADO

POULTRY
(póltri)
AVE

CHICKEN
(chiken)
POLLO

TURKEY
(térki)
PAVO

WATER
(uóter)
AGUA

WINE
(uáin)
VINO

PORK
(pork)
CERDO

BREAD
(bréd)
PAN

STEAK
(stéik)
BISTEC / FILETE

SALAD
(sálad)
ENSALADA

LAMB
(lamb)
CORDERO

ROLLS
(róuls)
PANECILLOS

DESSERT
(disért)
POSTRE

ICE CREAM
(áiskrim)
HELADO

PIE
(pái)
TARTA

CAKE
(kéik)
PASTEL

CHEESE
(chiis)
QUESO

DINOSAUR
(dáinesor)

DINOSAURIO

DIRECTION
(dirékshon)

DIRECCIÓN

DIRTY
(dérti)

SUCIO

DISCUSS (TO)
(tu discáss)

DISCUTIR

DIVE (TO)
(tu dáiv)

ZAMBULLIRSE

DO (TO)
(tu du)

HACER

DOLL
(dol)

MUÑECA

DOLPHIN
(dólfin)

DELFÍN

DOOR
(dor)

PUERTA

DOWN
(dáun)

ABAJO

DRAWING
(dróuin)

DIBUJO

DREAM
(driim)

SUEÑO

DRINK (TO)
(tu drink)

BEBER

DRIVE (TO)
(tu dráif)

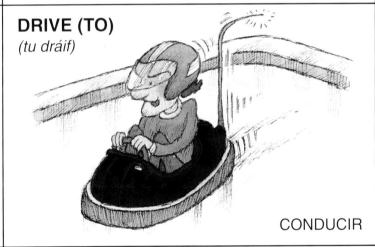

CONDUCIR

DRY
(drai)

SECO

DUCK
(dak)

PATO

39

E

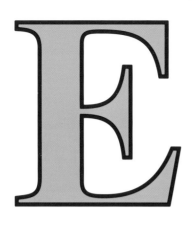

EACH
(itch)

CADA

EAGLE
(ígol)

ÁGUILA

EARLY
(érli)

TEMPRANO

EARN (TO)
(tu ern)

GANAR

EARTH
(erd)

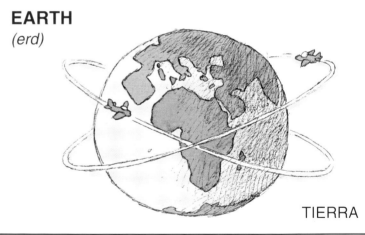

TIERRA

EASY
(ísi)

FÁCIL

EAT (TO)
(tu iit)

COMER

ECHO
(ékou)

ECO

ELECTRICITY
(elektríciti)

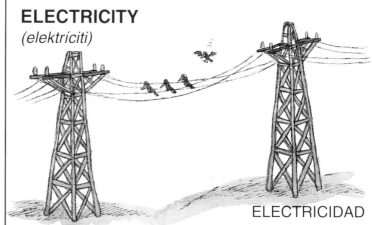

ELECTRICIDAD

ELEGANT
(éligent)

ELEGANTE

ELEVATOR
(elevéiter)

ASCENSOR

EMPTY / FULL
(émpti/ful)

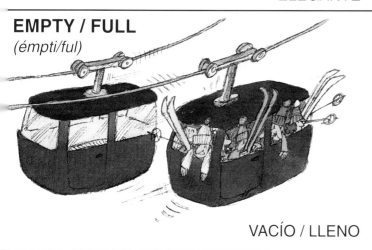

VACÍO / LLENO

END
(end)

FIN

ENJOY (TO)
(tu enyói)

DISFRUTAR

ENTRANCE
(éntrans)

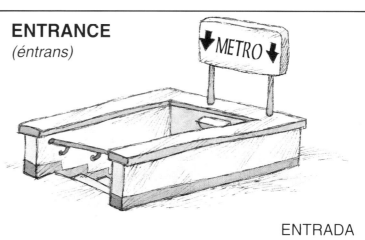

ENTRADA

ENVELOPE
(énvilop)

SOBRE

EQUAL
(íkual)

IGUAL

EXAM
(eksám)

EXAMEN

EXERCISE
(éksersais)

EJERCICIO

EXERCISE BOOK
(éksersais buk)

CUADERNO

EXIT
(éksit)

SALIDA

EXPLAIN (TO)
(tu ikspléin)

EXPLICAR

EXTRA
(ékstra)

EXTRA

42

F

FABLE
(féibol)

FÁBULA

FACE
(feis)

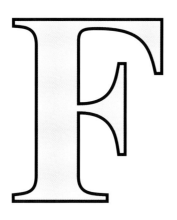

CARA

FACTORY
(fáctori)

FÁBRICA

FAIR
(féar)

FERIA

FAIRY
(féiri)

HADA

FALL (TO)
(tu fol)

CAER

FALSE
(fols)

FALSO

FAMILY FAMILIA
(fámili)

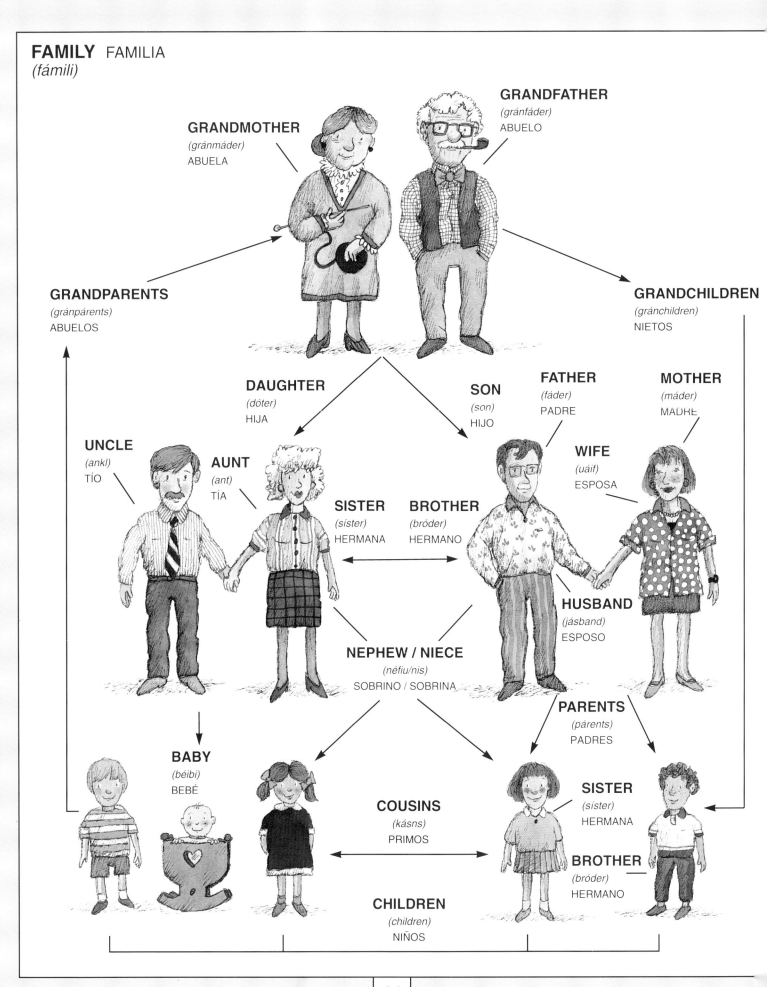

GRANDMOTHER
(gránmáder)
ABUELA

GRANDFATHER
(gránfáder)
ABUELO

GRANDPARENTS
(gránpárents)
ABUELOS

GRANDCHILDREN
(gránchildren)
NIETOS

DAUGHTER
(dóter)
HIJA

SON
(son)
HIJO

FATHER
(fáder)
PADRE

MOTHER
(máder)
MADRE

UNCLE
(ankl)
TÍO

AUNT
(ant)
TÍA

WIFE
(uáif)
ESPOSA

SISTER
(síster)
HERMANA

BROTHER
(bróder)
HERMANO

HUSBAND
(jásband)
ESPOSO

NEPHEW / NIECE
(néfiu/nis)
SOBRINO / SOBRINA

PARENTS
(párents)
PADRES

BABY
(béibi)
BEBÉ

COUSINS
(kásns)
PRIMOS

SISTER
(síster)
HERMANA

BROTHER
(bróder)
HERMANO

CHILDREN
(children)
NIÑOS

44

FAMOUS *(féimus)*

FAMOSO

FAR
(far)

LEJOS

FARM
(farm)

GRANJA

FAST
(fast)

RÁPIDO

FAT
(fáat)

GORDO

FAUCET
(fousit)

GRIFO

FAVORITE
(féivorit)

FAVORITO

FEATHER
(féder)

PLUMA

45

FEMALE
(fímeil)

FEMENINO

FILM
(film)

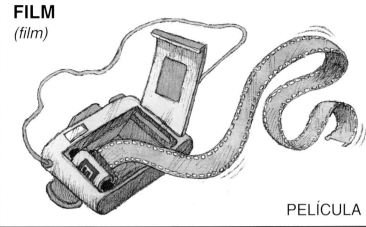

PELÍCULA

FINISH (TO)
(tu finish)

TERMINAR

FIRE
(fáier)

FUEGO

FIRE ENGINE
(fáier ényin)

CAMIÓN DE BOMBEROS

FISH
(fisch)

PEZ

FIX (TO)
(tu fiks)

REPARAR

FLAG
(flag)

BANDERA

FLOWERS FLORES
(fláuers)

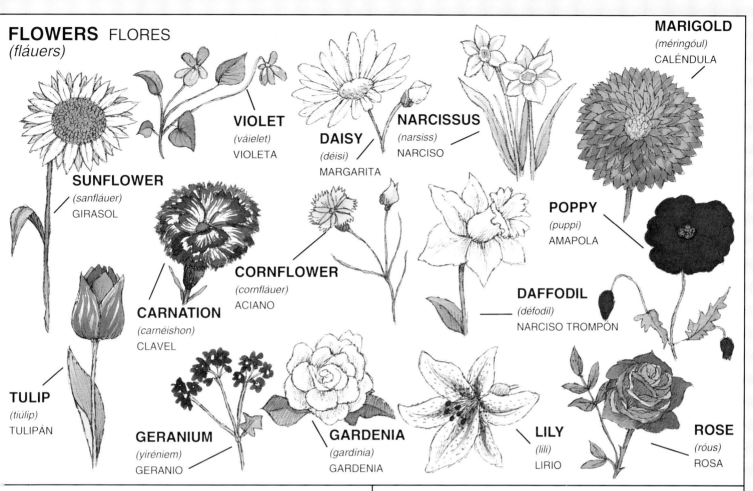

VIOLET
(váielet)
VIOLETA

DAISY
(déisi)
MARGARITA

NARCISSUS
(narsiss)
NARCISO

MARIGOLD
(méringóul)
CALÉNDULA

SUNFLOWER
(sanfláuer)
GIRASOL

CARNATION
(carnéishon)
CLAVEL

CORNFLOWER
(cornfláuer)
ACIANO

POPPY
(puppi)
AMAPOLA

DAFFODIL
(défodil)
NARCISO TROMPÓN

TULIP
(tiúlip)
TULIPÁN

GERANIUM
(yiréniem)
GERANIO

GARDENIA
(gardínia)
GARDENIA

LILY
(lili)
LIRIO

ROSE
(róus)
ROSA

FLU
(flu)

GRIPE / GRIPA

FLY (TO)
(tu flái)

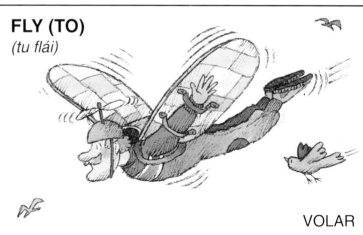

VOLAR

FOG
(fog)

NIEBLA

FOLLOW (TO)
(tu fólou)

SEGUIR

47

FOOD
(fud)

ALIMENTOS

FOREST
(fórest)

BOSQUE

FORGET (TO)
(tu forguet)

OLVIDAR

FORK
(fork)

TENEDOR

FOUR-LEAF CLOVER
(forlif clouver)

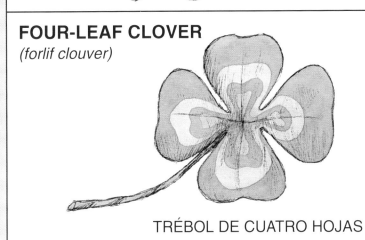

TRÉBOL DE CUATRO HOJAS

FOX
(foks)

ZORRO

FRIEND
(frend)

AMIGO

FROM
(from)

DE / DESDE

FRUIT FRUTA
(frut)

APPLE
(ápl)
MANZANA

ORANGE
(órindg)
NARANJA

DATE
(déit)
DÁTIL

BLACKBERRY
(blákbri)
MORA

BANANA
(benana)
BANANO

KIWI
(kíui)
KIWI

LEMON
(lémon)
LIMÓN

MELON
(mélon)
MELÓN

PEACH
(pitch)
MELOCOTÓN /
DURAZNO

LIME
(láim)
LIMA

GRAPES
(gréips)
UVAS

CHERRY
(shéri)
CEREZA

COCONUT
(cókenat)
COCO

STRAWBERRY
(stróubri)
FRESA

WATERMELON
(úatermélon)
SANDÍA

BLUEBERRIES
(blúbris)
ARÁNDANOS

PINEAPPLE
(páinepl)
PIÑA

POMEGRANATE
(pómgrenit)
GRANADA

RASPBERRY
(ráspbri)
FRAMBUESA

PLUM
(plam)
CIRUELA

GRAPEFRUIT
(gréipfrut)
POMELO / TORONJA

PEAR
(péar)
PERA

APRICOT
(éipricot)
ALBARICOQUE / CHABACANO

49

G

GAME
(géim)

JUEGO

GARAGE
(guerádg)

GARAJE

GARBAGE
(gárbedg)

BASURA

GARDEN
(gárdn)

JARDÍN

GASOLINE *(gásolin)*

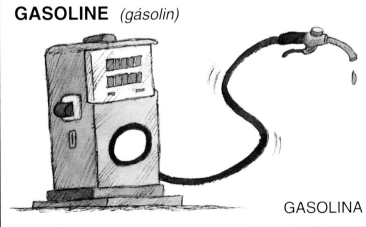

GASOLINA

GATE
(guéit)

PORTALÓN

GENTLY
(yéntly)

SUAVEMENTE

GET (TO) OBTENER
(tu guet)

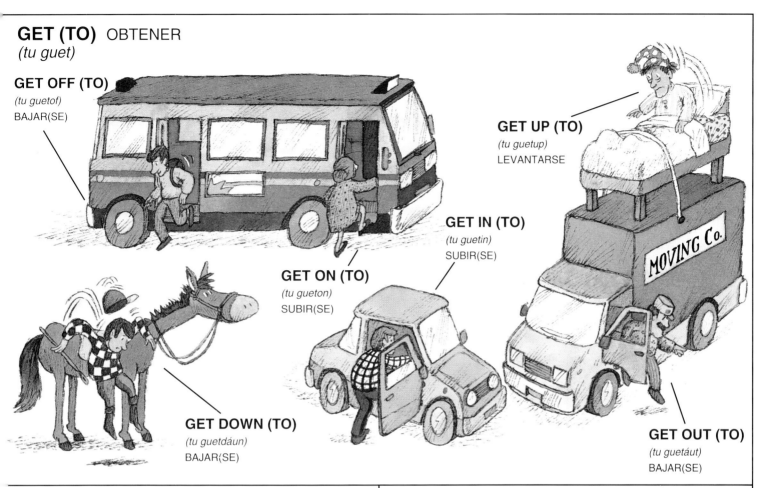

GET OFF (TO)
(tu guetof)
BAJAR(SE)

GET UP (TO)
(tu guetup)
LEVANTARSE

GET IN (TO)
(tu guetin)
SUBIR(SE)

GET ON (TO)
(tu gueton)
SUBIR(SE)

GET DOWN (TO)
(tu guetdáun)
BAJAR(SE)

GET OUT (TO)
(tu guetáut)
BAJAR(SE)

GHOST
(gost)

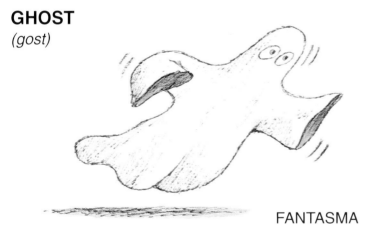

FANTASMA

GIANT
(giáient)

GIGANTE

GIFT
(gift)

REGALO

GIRL
(gerl)

CHICA

GIVE (TO)
(tu gif)

DAR

GLAD
(glad)

CONTENTO

GLASS
(glas)

VIDRIO

GLASSES
(gláses)

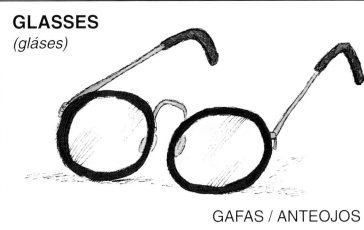

GAFAS / ANTEOJOS

GO (TO) IR
(tu góu)

GO IN (TO)
(tu góu in)
ENTRAR

GO DOWN (TO)
(tu góu dáun)
DESCENDER

GO UP (TO)
(tu góu ap)
ASCENDER

GO OUT (TO)
(tu góu áut)
SALIR

GOLD
(góuld)

ORO

GOLF COURSE
(golf kors)

CAMPO DE GOLF

GOOD
(gud)

BUENO

GRAM
(gram)

GRAMO

GRASS *(grass)*

GRASSHOPPER
(grásshoper)

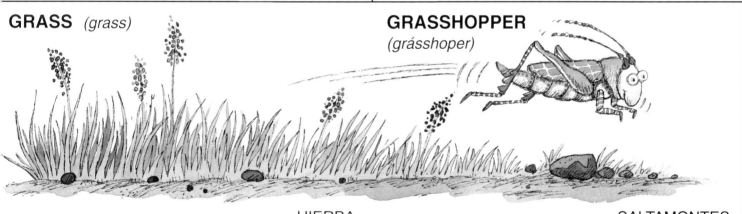

HIERBA

SALTAMONTES

GRAVITY
(gráviti)

GRAVEDAD

GREET (TO) *(tu gríit)*

SALUDAR

GROCERIES
(gróuseris)

VÍVERES

GROUND
(gráund)

TIERRA

GROUP
(grup)

GRUPO

GROW (TO)
(tu gróu)

CRECER

GUESS (TO)
(tu guess)

ADIVINAR

GUEST
(guest)

HUÉSPED

GUITAR
(guitár)

GUITARRA

GYMNASTICS
(yimnástiks)

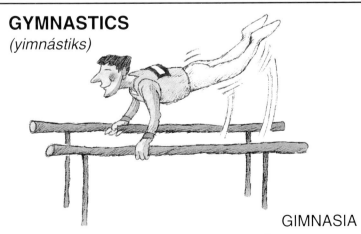

GIMNASIA

H

HAIRBRUSH
(jérbrosh)

CEPILLO

HALF
(jalf)

MITAD

HAMMER
(jámer)

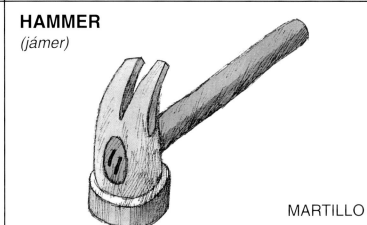

MARTILLO

HANDSOME
(jánsom)

GUAPO

HANG (TO)
(tu jang)

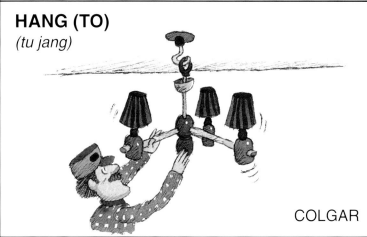

COLGAR

HAPPY
(jápi)

FELIZ

HARD
(jard)

DURO

HAVE (TO)
(tu jaf)

TENER / HABER

HEADACHE
(jédeik)

DOLOR DE CABEZA

HEALTHY
(jélti)

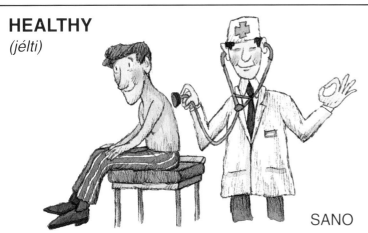

SANO

HEAR (TO)
(tu jear)

OÍR

HEART
(jart)

CORAZÓN

HEAT
(jit)

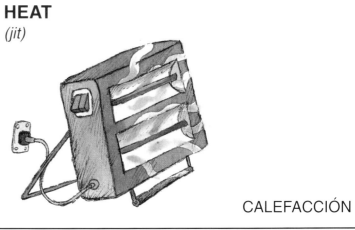

CALEFACCIÓN

HEAVEN
(jevn)

CIELO

HEAVY
(jévi)

PESADO

HELICOPTER *(jélikopter)*

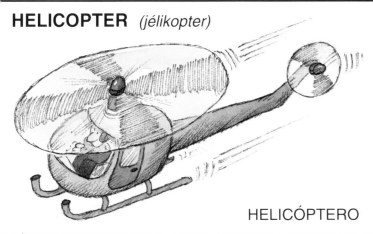

HELICÓPTERO

HELLO / GOODBYE
(jélou/gúdbai)

HOLA / ADIÓS

HELMET
(jélmet)

CASCO

HELP
(jelp)

SOCORRO

HERE
(jíar)

AQUÍ

HIDE (TO)
(tu jáid)

ESCONDER(SE)

HIGH
(jái)

ALTO

HIGHWAY
(jáigüei)

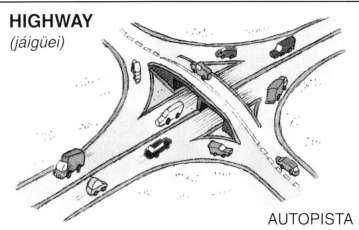

AUTOPISTA

57

HITCHHIKING
(jidchjáikin)

AUTOSTOP

HOLD (TO)
(tu jold)

SUJETAR

HOLE
(jóul)

AGUJERO

HOLIDAY *(jólidei)*

VACACIONES

HOME
(jom)

HOGAR

HOSPITAL
(jóspital)

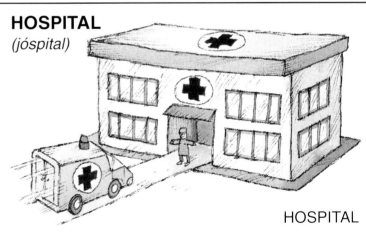

HOSPITAL

HOT
(jot)

CALOR

HOTEL
(jótel)

HOTEL

HOUSE CASA
(jáus)

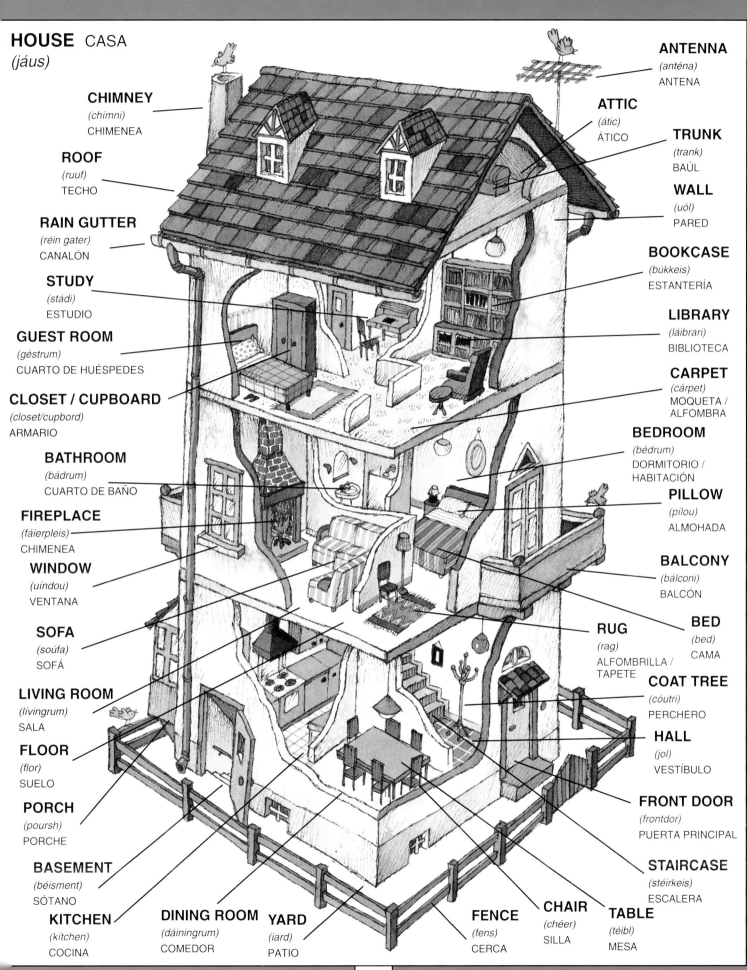

CHIMNEY
(chímni)
CHIMENEA

ROOF
(ruuf)
TECHO

RAIN GUTTER
(réin gater)
CANALÓN

STUDY
(stádi)
ESTUDIO

GUEST ROOM
(géstrum)
CUARTO DE HUÉSPEDES

CLOSET / CUPBOARD
(closet/cupbord)
ARMARIO

BATHROOM
(bádrum)
CUARTO DE BAÑO

FIREPLACE
(fáierpleis)
CHIMENEA

WINDOW
(uíndou)
VENTANA

SOFA
(soúfa)
SOFÁ

LIVING ROOM
(lívingrum)
SALA

FLOOR
(flor)
SUELO

PORCH
(poursh)
PORCHE

BASEMENT
(béisment)
SÓTANO

KITCHEN
(kítchen)
COCINA

DINING ROOM
(dáiningrum)
COMEDOR

YARD
(iard)
PATIO

FENCE
(fens)
CERCA

CHAIR
(chéer)
SILLA

TABLE
(téibl)
MESA

ANTENNA
(anténa)
ANTENA

ATTIC
(átic)
ÁTICO

TRUNK
(trank)
BAÚL

WALL
(uól)
PARED

BOOKCASE
(búkkeis)
ESTANTERÍA

LIBRARY
(láibrari)
BIBLIOTECA

CARPET
(cárpet)
MOQUETA /
ALFOMBRA

BEDROOM
(bédrum)
DORMITORIO /
HABITACIÓN

PILLOW
(pílou)
ALMOHADA

BALCONY
(bálconi)
BALCÓN

RUG
(rag)
ALFOMBRILLA /
TAPETE

BED
(bed)
CAMA

COAT TREE
(cóutri)
PERCHERO

HALL
(jol)
VESTÍBULO

FRONT DOOR
(frontdor)
PUERTA PRINCIPAL

STAIRCASE
(stéirkeis)
ESCALERA

59

HOW COMO
(jáu)

HOW ARE YOU?
(jáu ar yu)
¿CÓMO ESTÁS?

HOW DO YOU DO?
(jáu du yu du)
¿CÓMO ESTÁ USTED?

HOW MANY?
(jáu méni)
¿CUÁNTOS?

HOW MUCH?
(jáu mátch)
¿CUÁNTO ES? ¿CUÁNTO LE DEBO?

HOWEVER
(jáuever)

SIN EMBARGO

HUNGRY (TO BE)
(tu bi jángri)

HAMBRE (TENER)

HUNTER
(jánter)

CAZADOR

HURRICANE
(járikein)

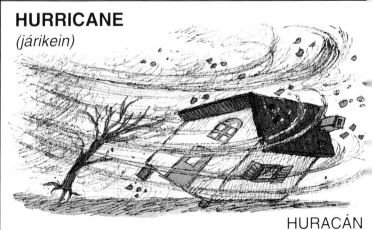

HURACÁN

60

I

ICE
(áis)

HIELO

ICE CREAM
(áiskrim)

HELADO

IDEA
(aidía)

IDEA

IF
(if)

SI

ILL
(il)

ENFERMO

IMPORTANT
(impórtant)

IMPORTANTE

IN
(in)

DENTRO

IN FRONT OF
(in front of)

DELANTE DE

INCH
(intch)

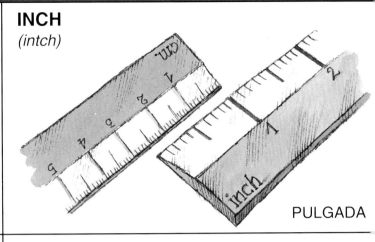

PULGADA

INDIAN
(índian)

INDIO

INFORMATION
(informéishion)

INFORMACIÓN

INK
(ink)

TINTA

INSIDE
(insáid)

ADENTRO

INTRODUCE (TO)
(tu introdiús)

PRESENTAR

ISLAND
(áiland)

ISLA

J

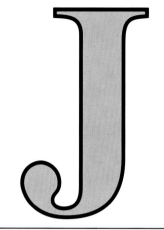

JAR
(yiár)

FRASCO

JAW
(yió)

MANDÍBULA

JEWEL
(yiúel)

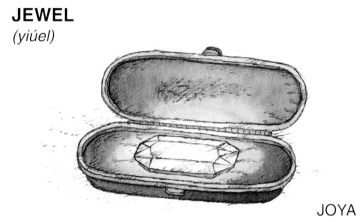

JOYA

JOB
(yiób)

EMPLEO

JOKE
(yióuk)

BROMA

JUDGE
(yiódg)

JUEZ

JUMP (TO)
(tu yiamp)

SALTAR

63

K

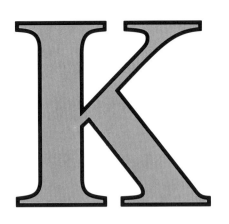

KEY
(ki)

LLAVE

KIND
(káind)

AMABLE

KING
(king)

REY

KISS
(kiss)

BESO

KNIFE
(náif)

CUCHILLO

KNOCK (TO)
(tu nok)

GOLPEAR

KNOW (TO)
(tu nóu)

SABER / CONOCER

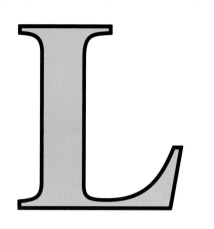

LADDER
(láader)

ESCALERA

LADYBUG
(léidibug)

MARIQUITA

LAKE
(léik)

LAGO

LAMP
(lámp)

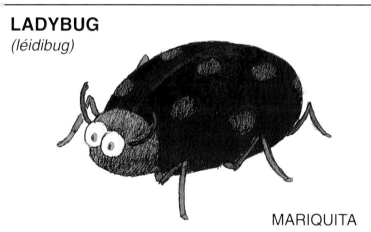

LÁMPARA

LATE
(léit)

TARDE

LAUGH (TO)
(tu laf)

REÍR

LAWN
(lon)

CÉSPED

LAZY
(léisi)

PEREZOSO

LEAF
(liif)

HOJA

LEARN (TO)
(tu lern)

APRENDER

LEAVE (TO)
(tu líif)

MARCHAR(SE)

LEFT
(léft)

IZQUIERDA

LESSON
(lesn)

LECCIÓN

LETTER
(léter)

CARTA

LIE
(lái)

MENTIRA

LIFT (TO)
(tu lift)

LEVANTAR

LIGHT
(láit)

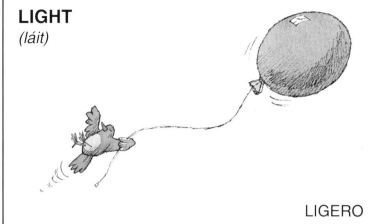

LIGERO

LIGHT
(láit)

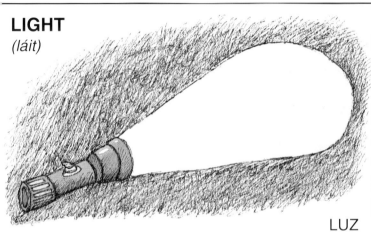

LUZ

LIKE (TO)
(tu láik)

GUSTAR

LIPS
(lips)

LABIOS

LISTEN (TO)
(tu lísn)

ESCUCHAR

LITTLE
(litl)

PEQUEÑO

LIVE (TO)
(tu lif)

VIVIR

67

LONG
(long)

LARGO

LOOK AT (TO)
(tu luk at)

MIRAR

LOVE
(lof)

AMOR

LUCKY
(láki)

AFORTUNADO

LUNCH COMIDA / ALMUERZO
(lanch)

SALAD
(salad)
ENSALADA

PIZZA
(pidsa)
PIZZA

SOFT DRINK
(soft drink)
REFRESCO

SANDWICH *(sánduitch)*
BOCADILLO /
EMPAREDADO

FRENCH FRIES
(frénchfrais)
PATATAS / PAPAS FRITAS

HOT DOG
(jotdog)
PERRO CALIENTE

COOKIE
(cúki)
GALLETA

HAMBURGER
(jámberger)
HAMBURGUESA

PASTA
(pasta)
PASTA

M

MAGAZINE
(mégesin)

REVISTA

MAGICIAN
(méyishian)

MAGO

MAIL
(méil)

CORREO

MAKE (TO)
(tu méik)

CREAR

MALE
(méil)

MASCULINO

MAN
(máan)

HOMBRE

MANY *(méni)*

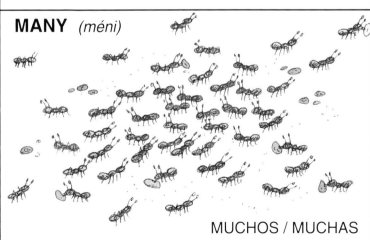

MUCHOS / MUCHAS

MAP
(map)

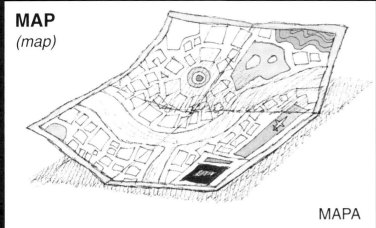

MAPA

MARKET
(márket)

MERCADO

MARRIAGE
(méridtch)

MATRIMONIO

MATCH
(mátch)

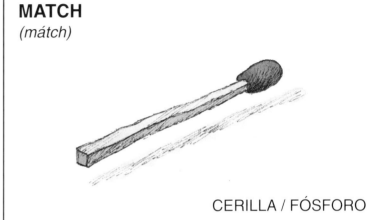

CERILLA / FÓSFORO

MATH
(mad)

MATEMÁTICAS

MEAL
(mil)

COMIDA

MEAT
(mit)

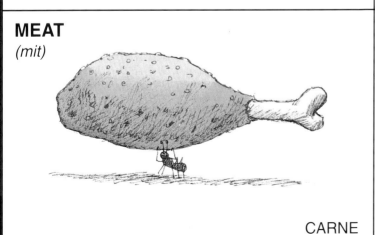

CARNE

MEDICINE
(médisin)

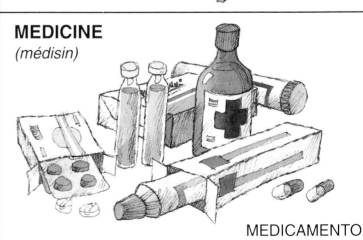

MEDICAMENTO

MEET (TO)
(tu mit)

ENCONTRAR

MENU
(méniu)

MENÚ

MESS
(mes)

DESORDEN

MESSAGE
(mesidg)

MENSAJE

MINUTE
(mínit)

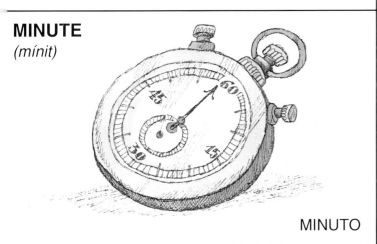

MINUTO

MIRROR *(míror)*

ESPEJO

MISTAKE *(mistéik)*

ERROR

MONEY
(máni)

DINERO

MONTHS MESES
(manths)

JANUARY
(yénueri)
ENERO

FEBRUARY
(fébrueri)
FEBRERO

MARCH
(martch)
MARZO

APRIL
(éipril)
ABRIL

MAY
(méi)
MAYO

JUNE
(yiún)
JUNIO

JULY
(yulái)
JULIO

AUGUST
(ógost)
AGOSTO

SEPTEMBER
(septembr)
SEPTIEMBRE

OCTOBER
(octobr)
OCTUBRE

NOVEMBER
(novembr)
NOVIEMBRE

DECEMBER
(decembr)
DICIEMBRE

MOON
(muun)

LUNA

MOSQUITO
(moskítou)

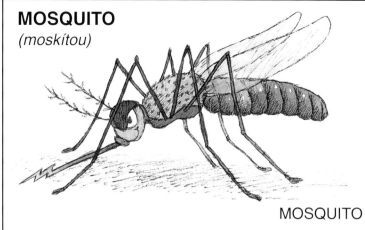

MOSQUITO

MOTOCROSS
(mótokross)

MOTORCYCLE
(móutesáikl)

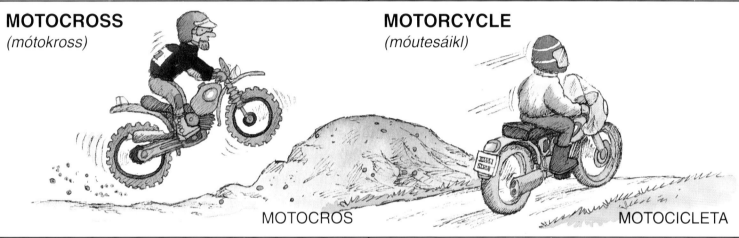

MOTOCROS

MOTOCICLETA

MOUNTAIN
(máuntan)

MONTAÑA

MOUSE
(máus)

RATÓN

MOVE (TO)
(tu muf)

MOVER

MUCH
(mach)

MUCHO

MUSCLE
(masl)

MÚSCULO

MUSEUM
(miusíem)

MUSEO

MUSICAL INSTRUMENTS
INSTRUMENTOS MUSICALES
(miúsical instruments)

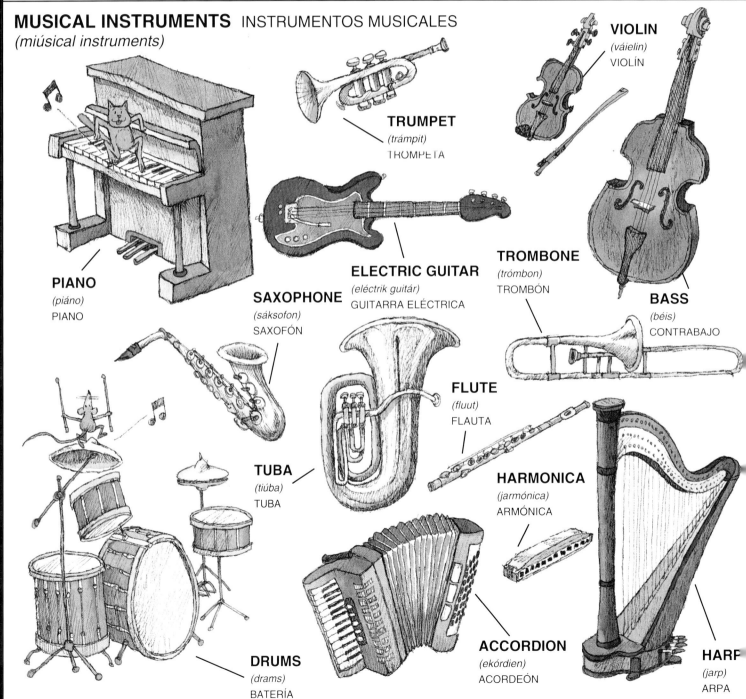

TRUMPET
(trámpit)
TROMPETA

VIOLIN
(váielin)
VIOLÍN

PIANO
(piáno)
PIANO

ELECTRIC GUITAR
(eléctrik guitár)
GUITARRA ELÉCTRICA

SAXOPHONE
(sáksofon)
SAXOFÓN

TROMBONE
(trómbon)
TROMBÓN

BASS
(béis)
CONTRABAJO

TUBA
(tiúba)
TUBA

FLUTE
(fluut)
FLAUTA

HARMONICA
(jarmónica)
ARMÓNICA

DRUMS
(drams)
BATERÍA

ACCORDION
(ekórdien)
ACORDEÓN

HARP
(jarp)
ARPA

74

N

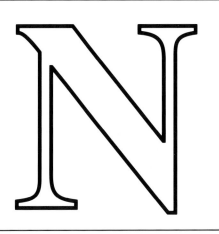

NAIL (TOE- / FINGER-)
(néil/tóu/fínguer)

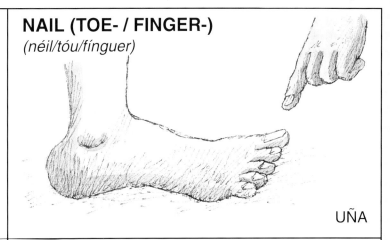

UÑA

NAIL
(néil)

CLAVO

NAME
(néim)

NOMBRE

NAP
(nap)

SIESTA

NAPKIN
(nápkin)

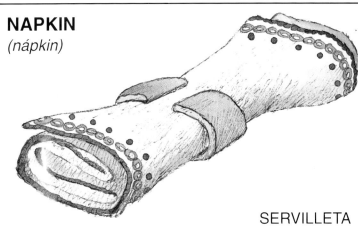

SERVILLETA

NARROW
(nárou)

ESTRECHO

NATION
(néishon)

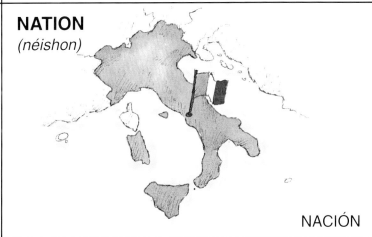

NACIÓN

NATIONS AND FLAGS NACIONES Y BANDERAS
(néishions an flags)

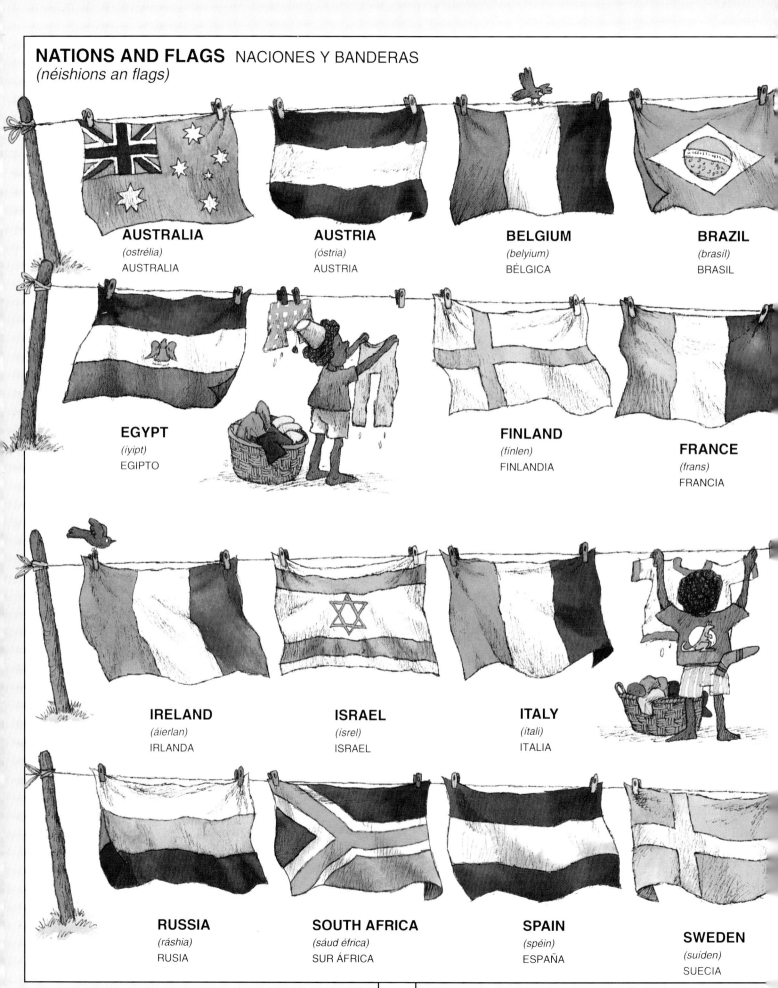

AUSTRALIA
(ostrélia)
AUSTRALIA

AUSTRIA
(óstria)
AUSTRIA

BELGIUM
(belyium)
BÉLGICA

BRAZIL
(brasíl)
BRASIL

EGYPT
(íyipt)
EGIPTO

FINLAND
(fínlen)
FINLANDIA

FRANCE
(frans)
FRANCIA

IRELAND
(áierlan)
IRLANDA

ISRAEL
(ísrel)
ISRAEL

ITALY
(ítali)
ITALIA

RUSSIA
(ráshia)
RUSIA

SOUTH AFRICA
(sáud éfrica)
SUR ÁFRICA

SPAIN
(spéin)
ESPAÑA

SWEDEN
(suíden)
SUECIA

CANADA
(cánada)
CANADÁ

CHINA
(cháina)
CHINA

DENMARK
(dénmark)
DINAMARCA

GERMANY
(yérmani)
ALEMANIA

GREECE
(griis)
GRECIA

HOLLAND
(jóland)
HOLANDA

INDIA
(índia)
INDIA

JAPAN
(yápan)
JAPÓN

MEXICO
(méksico)
MÉXICO

NORWAY
(nóuruei)
NORUEGA

PORTUGAL
(pórtchegal)
PORTUGAL

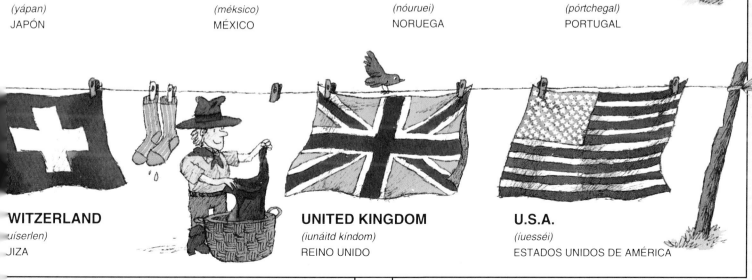

WITZERLAND
(uíserlen)
JIZA

UNITED KINGDOM
(iunáitd kíndom)
REINO UNIDO

U.S.A.
(iuesséi)
ESTADOS UNIDOS DE AMÉRICA

NEAR
(níar)

CERCA

NEEDLE
(nídl)

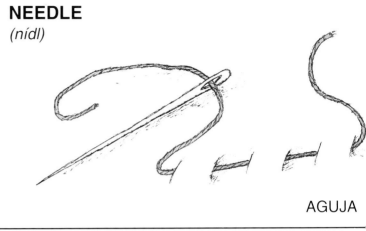

AGUJA

NEVER
(néver)

NUNCA

NEW
(niú)

NUEVO

NEWSPAPER
(niúspéiper)

PERIÓDICO

NO
(nóu)

NO

NOBODY
(nóbadi)

NADIE

NOISE *(nóis)*

RUIDO

78

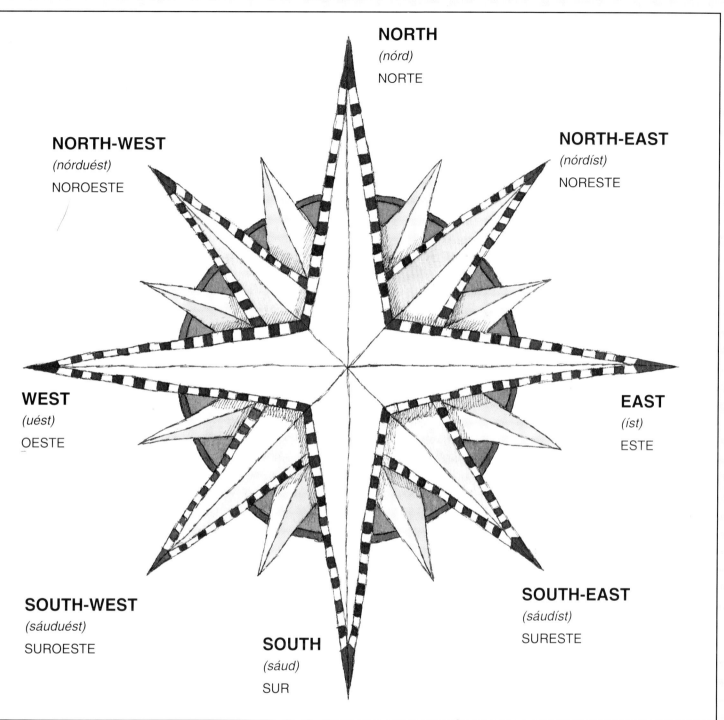

NORTH
(nórd)
NORTE

NORTH-WEST
(nórduést)
NOROESTE

NORTH-EAST
(nórdíst)
NORESTE

WEST
(uést)
OESTE

EAST
(íst)
ESTE

SOUTH-WEST
(sáuduést)
SUROESTE

SOUTH-EAST
(sáudíst)
SURESTE

SOUTH
(sáud)
SUR

NOTHING
(náthing)

NADA

NOW
(nau)

AHORA

NUMBERS NÚMEROS
(námbers)

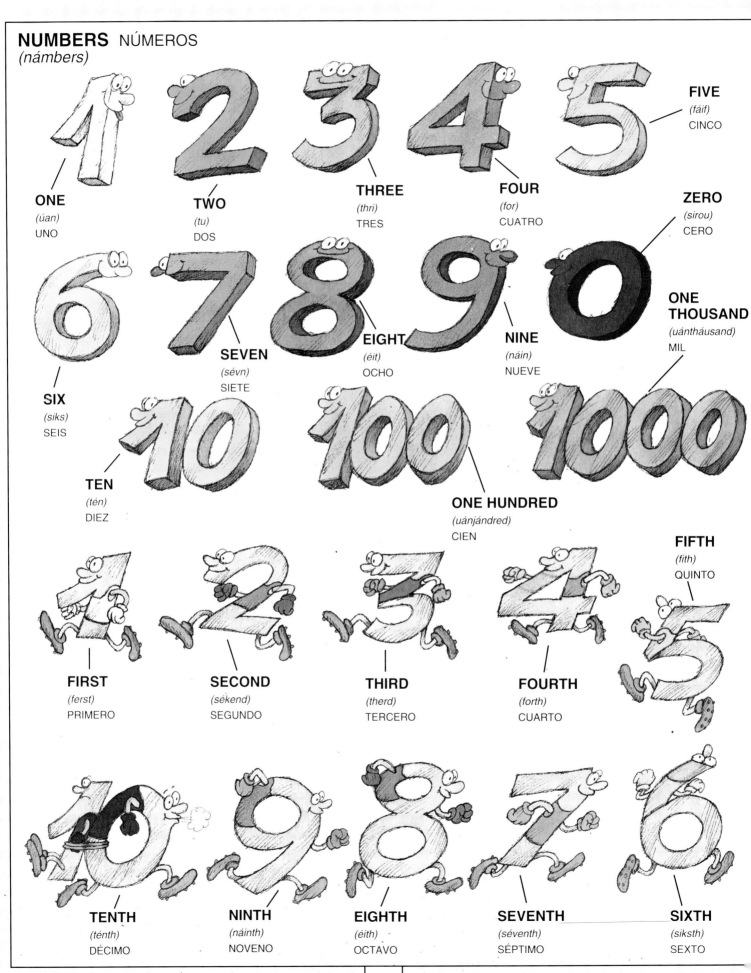

ONE
(úan)
UNO

TWO
(tu)
DOS

THREE
(thri)
TRES

FOUR
(for)
CUATRO

FIVE
(fáif)
CINCO

SIX
(siks)
SEIS

SEVEN
(sévn)
SIETE

EIGHT
(éit)
OCHO

NINE
(náin)
NUEVE

ZERO
(sirou)
CERO

ONE THOUSAND
(uántháusand)
MIL

TEN
(tén)
DIEZ

ONE HUNDRED
(uánjándred)
CIEN

FIRST
(ferst)
PRIMERO

SECOND
(sékend)
SEGUNDO

THIRD
(therd)
TERCERO

FOURTH
(forth)
CUARTO

FIFTH
(fith)
QUINTO

TENTH
(ténth)
DÉCIMO

NINTH
(náinth)
NOVENO

EIGHTH
(éith)
OCTAVO

SEVENTH
(séventh)
SÉPTIMO

SIXTH
(siksth)
SEXTO

O

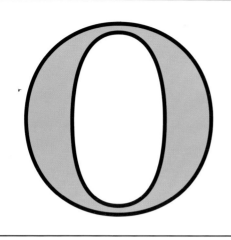

OAK
(óuk)

ROBLE

OCEAN
(óuschen)

OCÉANO

OFFICE
(ófis)

OFICINA

OF
(of)

DE

OFTEN
(ófen)

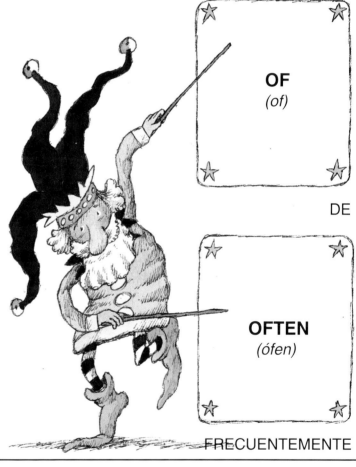

FRECUENTEMENTE

OLD
(óuld)

VIEJO

ON / OFF
(on/of)

ENCENDIDO / APAGADO

ONLY
(óunli)

SOLAMENTE

OPEN / CLOSED
(óupen/klóusd)

ABIERTO / CERRADO

OPPOSITE
(ópesit)

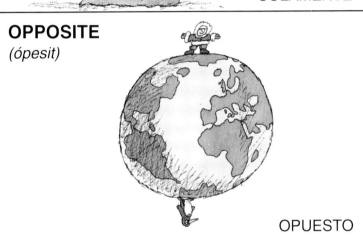

OPUESTO

OR
(or)

O

ORDER (TO)
(tu órder)

PEDIR

OSTRICH
(óstritch)

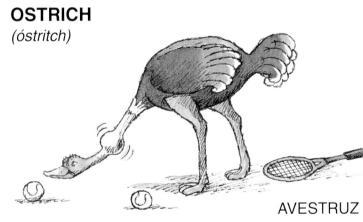

AVESTRUZ

OUT
(áut)

AFUERA

OYSTER
(óister)

OSTRA

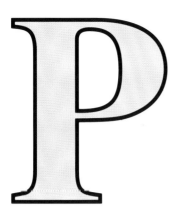

P

PAGE
(péidg)

PÁGINA

PAPER
(péiper)

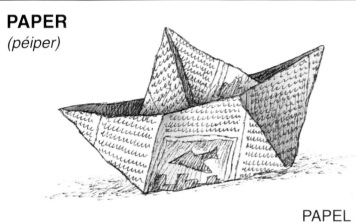

PAPEL

PARACHUTE
(péreschiut)

PARACAÍDAS

PARK
(park)

PARQUE

PARROT
(pérot)

PAPAGAYO

PARTY
(párti)

FIESTA

PASSPORT
(pásport)

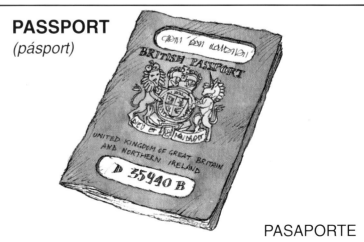

PASAPORTE

PEN
(pen)

PLUMA / BOLÍGRAFO

PENCIL
(pensl)

LÁPIZ

PENGUIN
(pénguin)

PINGÜINO

PETROLEUM
(petróliem)

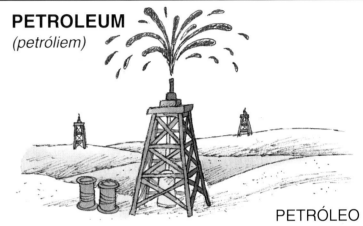

PETRÓLEO

PHOTOGRAPH
(fótograf)

FOTOGRAFÍA

PICTURE
(píktcher)

CUADRO

PLATE
(pléit)

PLATO

PLAY (TO)
(tu pléi)

JUGAR

PLAY (TO)
(tu pléi)

TOCAR

PLEASE
(pliis)

POR FAVOR

POCKET
(póket)

BOLSILLO

POINT TO (TO)
(tu póint tu)

SEÑALAR

POLLUTION
(polúschion)

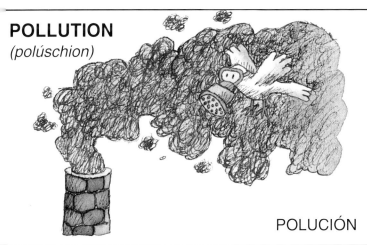

POLUCIÓN

PORT
(port)

PUERTO

PRESENT
(présent)

REGALO

PROBLEM
(próblem)

PROBLEMA

PROFESSIONS PROFESIONES
(proféschions)

ARTIST
(ártist)
ARTISTA

SINGER
(sínguer)
CANTANTE

ACTOR
(áctor)
ACTOR

DENTIST
(déntist)
DENTISTA

DOCTOR
(dóctor)
DOCTORA

NURSE
(ners)
ENFERMERO

BUTCHER
(búcher)
CARNICERO

COOK MAID
(cúkmeid)
COCINERA

FARMER
(fármer)
AGRICULTOR

MUSIC CONDUCTOR
(miúsic condóctor)
DIRECTORA DE ORQUESTA

MUSICIAN
(miusíschian)
MÚSICO

BARBER
(bárber)
PELUQUERO

PAINTER
(péinter)
PINTOR

CARPENTER
(cárpenter)
CARPINTERO

PLUMBER
(plómer)
FONTANERO /
PLOMERO

SOLDIER
(sóuldier)
SOLDADO

POLICE OFFICER
(polís óficer)
POLICÍA

FIRE FIGHTER
(fáier fáiter)
BOMBERO

WRITER
(ráiter)
ESCRITORA

TEACHER
(ticher)
PROFESOR

TAILOR
(téilor)
SASTRE

SAILOR
(séilor)
MARINERO

FISHERMAN
(físcherman)
PESCADOR

LETTER CARRIER
(léter cárrier)
CARTERO

PROFESSOR
(profésor)

PROFESOR

PROUD
(práud)

ORGULLOSO

PUPIL
(piúpl)

ALUMNO

PUZZLE
(pázel)

ROMPECABEZAS

PROMISE (TO)
(tu prómis)

PROMETER

PULL (TO)
(tu pul)

TIRAR

PUSH (TO)
(tu pusch)

EMPUJAR

PYRAMID
(píramid)

PIRÁMIDE

88

Q

QUAIL
(kuéil)

CODORNIZ

QUALITY
(kuáliti)

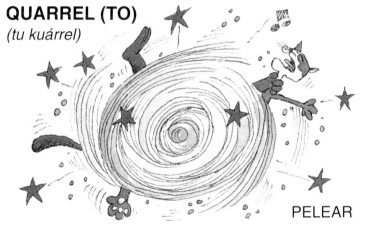

CALIDAD

QUANTITY
(kuántiti)

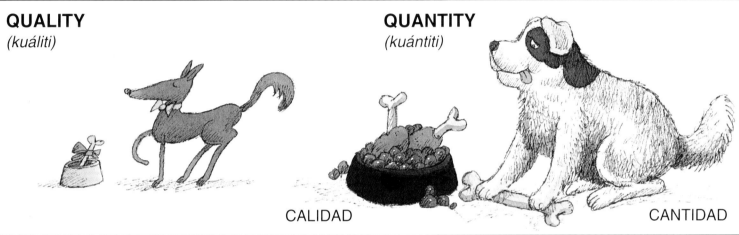

CANTIDAD

QUARREL (TO)
(tu kuárrel)

PELEAR

QUARTER
(quárter)

UN CUARTO

QUEEN
(kuín)

REINA

QUESTION
(kuéstion)

PREGUNTA

QUEUE
(kiú)

COLA

QUICK
(kuík)

RÁPIDO

QUICKSAND
(kuíksand)

ARENA MOVEDIZA

QUIET
(kuáiet)

SILENCIOSO

QUILL
(kuíl)

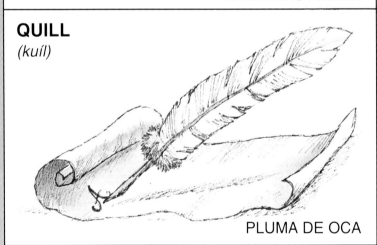

PLUMA DE OCA

QUILT
(kuílt)

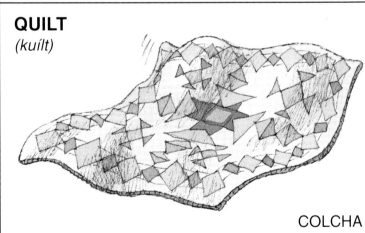

COLCHA

QUIVER
(kuíver)

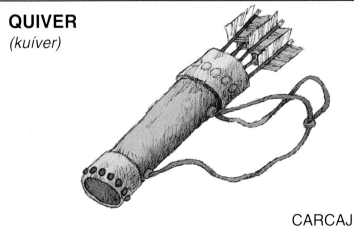

CARCAJ

QUIZ (TO)
(tu kuís)

INTERROGAR

R

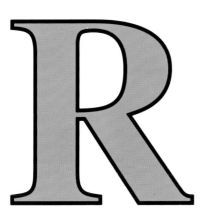

RACE
(réis)

CARRERA

RADIO
(réidiou)

RADIO

RAFT
(raf)

BALSA

RAIN
(réin)

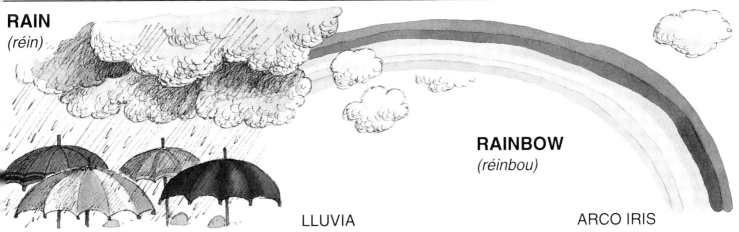

LLUVIA

RAINBOW
(réinbou)

ARCO IRIS

READ (TO)
(tu rid)

LEER

RECORD
(récord)

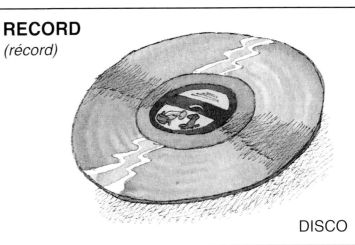

DISCO

REFRIGERATOR
(rifrigeréitor)

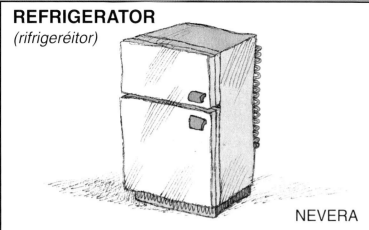

NEVERA

RELATIVES *(rélatifs)*

PARIENTES

RELAX (TO)
(tu riláx)

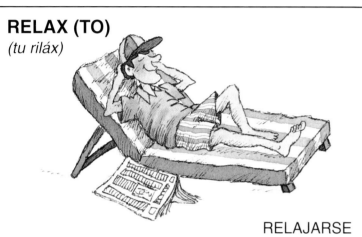

RELAJARSE

REPEAT (TO)
(tu ripít)

REPETIR

REST (TO)
(tu rest)

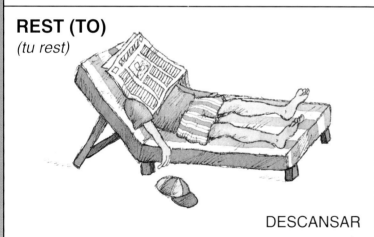

DESCANSAR

RESTAURANT
(réstorant)

RESTAURANTE

RHINOCEROS
(rainóceros)

RINOCERONTE

RICE
(ráiz)

ARROZ

RICH
(rítch)

RICO

RIGHT
(ráit)

DERECHA

RING
(ring)

SORTIJA / ANILLO

RIVER
(ríver)

RÍO

ROAD
(róud)

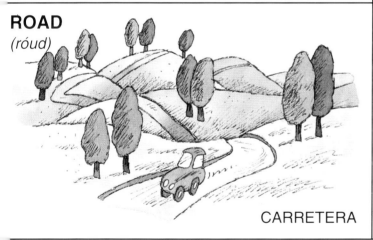

CARRETERA

ROBOT
(róubot)

ROBOT

ROCK
(rok)

ROLL (TO)
(tu rol)

ROCA

RODAR

ROPE
(róup)

CUERDA

ROYAL
(róial)

REAL

RUBBER / ERASER
(ráber/iréiser)

GOMA DE BORRAR

RUCKSACK
(ráksek)

MOCHILA / MORRAL

RUN (TO) CORRER
(tu ran)

RUN ACROSS (TO)
(tu ran akrós)
TROPEZAR CON

RUN AFTER (TO)
(tu ran áfter)
PERSEGUIR

RUN AWAY (TO)
(tu ran egüéy)
HUIR

RUN AROUND (TO)
(tu ran aráund)
CORRER ALREDEDOR

RUN TO (TO)
(tu ran tu)
CORRER A / HASTA

RUN OVER (TO)
(tu ran óuver)
ATROPELLAR

RUN OUT OF (TO)
(tu ran áut of)
ACABARSE

94

S

SAD
(sad)

TRISTE

SAFE
(séif)

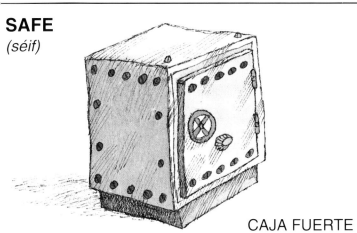

CAJA FUERTE

SAIL
(séil)

VELA

SALE
(séil)

REBAJA

SAME
(séim)

IGUAL

SAND
(sánd)

ARENA

SAVE (TO)
(tu sáif)

AHORRAR

SAY (TO)
(tu séi)

DECIR

SCALE
(skéil)

BALANZA

SCARF
(scárf)

BUFANDA

SCENERY
(síneri)

PAISAJE

SCHOOL
(scúul)

ESCUELA

SCISSORS
(sísors)

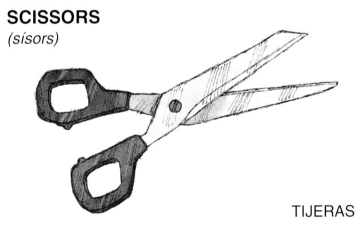

TIJERAS

SEA
(si)

SEAL
(síil)

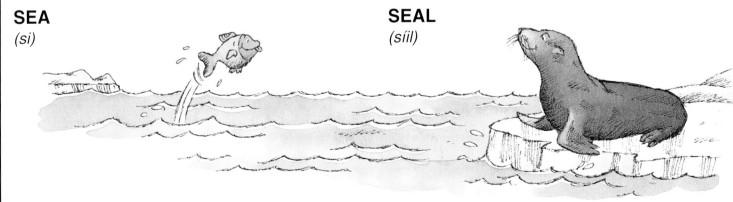

MAR

FOCA

SEASONS ESTACIONES
(sísons)

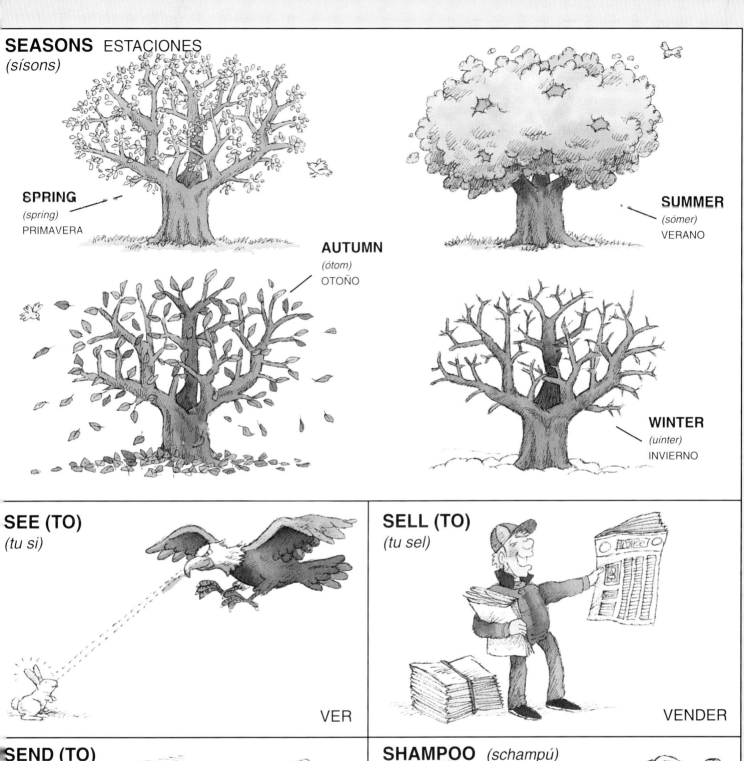

SPRING
(spríng)
PRIMAVERA

SUMMER
(sómer)
VERANO

AUTUMN
(ótom)
OTOÑO

WINTER
(uínter)
INVIERNO

SEE (TO)
(tu si)

VER

SELL (TO)
(tu sel)

VENDER

SEND (TO)
(tu send)

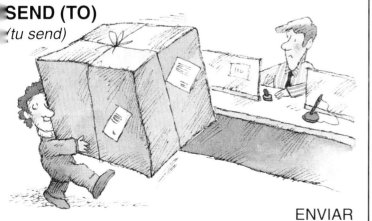

ENVIAR

SHAMPOO *(schampú)*

CHAMPÚ

97

SHAPES FIGURAS GEOMÉTRICAS
(schéips)

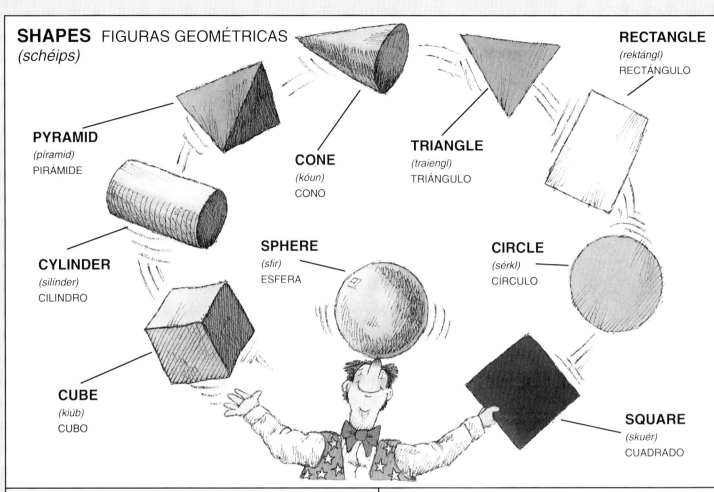

PYRAMID
(píramid)
PIRÁMIDE

CONE
(kóun)
CONO

TRIANGLE
(traiengl)
TRIÁNGULO

RECTANGLE
(rektángl)
RECTÁNGULO

CYLINDER
(silínder)
CILINDRO

SPHERE
(sfir)
ESFERA

CIRCLE
(sérkl)
CÍRCULO

CUBE
(kiúb)
CUBO

SQUARE
(skuér)
CUADRADO

SHARK
(schark)

TIBURÓN

SHAVE (TO)
(tu schéiv)

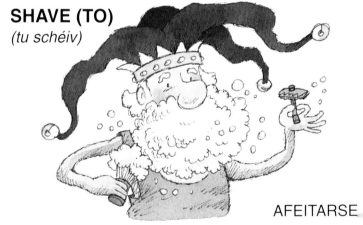

AFEITARSE

SHELL
(schel)

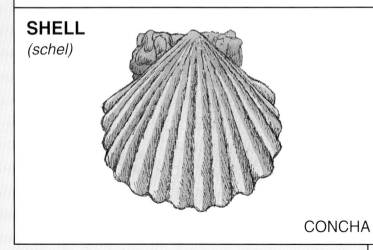

CONCHA

SHIP
(schip)

BARCC

SHOP (schóp)

ALMACÉN

SHORT (schórt)

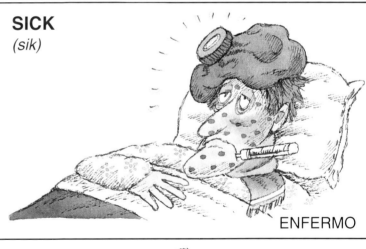

CORTO

SHORT (schórt)

BAJO

SHOUT (TO) (tu scháut)

GRITAR

SHOWER (scháuer)

DUCHA

SICK (sik)

ENFERMO

SIDEWALK (sáiduok)

ACERA

SIGN (sáin)

SEÑAL

99

SIT DOWN (TO)
(tu sit dáun)

SENTARSE

SKATE (TO)
(tu skéit)

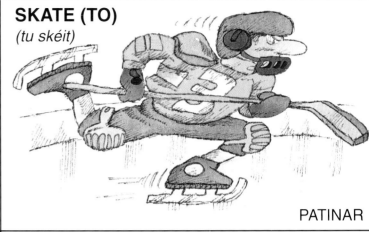

PATINAR

SKIN
(skin)

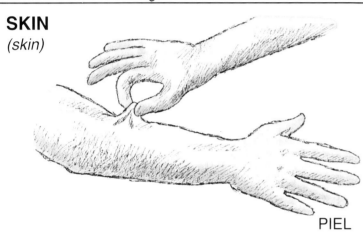

PIEL

SKY
(skái)

CIELO

SKYSCRAPER
(skáiskréiper)

RASCACIELOS

SLEEP (TO)
(tu slip)

DORMIR

SLEIGH
(sléi)

TRINEO

SLOW
(slóu)

DESPACIO

SMALL
(smol)

PEQUEÑO

SMART
(smart)

INTELIGENTE

SMELL (TO)
(tu smel)

OLER

SMOKE
(smóuk)

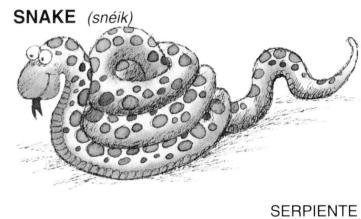

HUMO

SNAIL
(snéil)

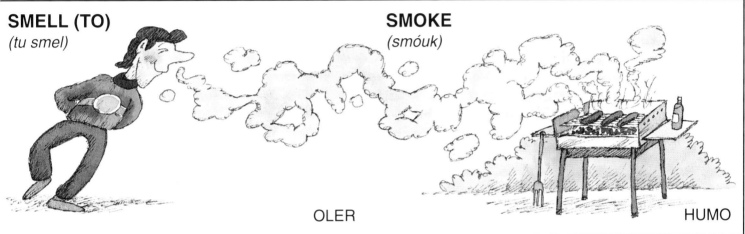

CARACOL

SNAKE *(snéik)*

SERPIENTE

SNEEZE (TO)
(tu snis)

ESTORNUDAR

SNOW
(snóu)

NIEVE

SO
(sóu)

ASÍ / TAN

SOAP
(sóup)

JABÓN

SOFT
(soft)

BLANDO

SONG
(song)

CANCIÓN

SORRY!
(sóri)

¡LO SIENTO!

SPACESHIP
(spéis schip)

NAVE ESPACIAL

SPEAK (TO)
(tu spik)

HABLAR

SPEND (TO)
(tu spend)

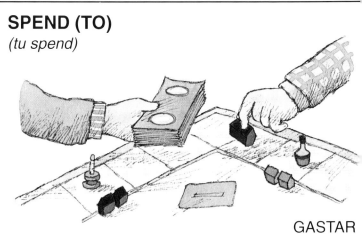

GASTAR

SPICES & HERBS ESPECIAS Y HIERBAS
(spáices an érbs)

GARLIC
(gárlik)
AJO

MINT
(mint)
MENTA

OREGANO
(oréganou)
ORÉGANO

BASIL
(béisil)
ALBAHACA

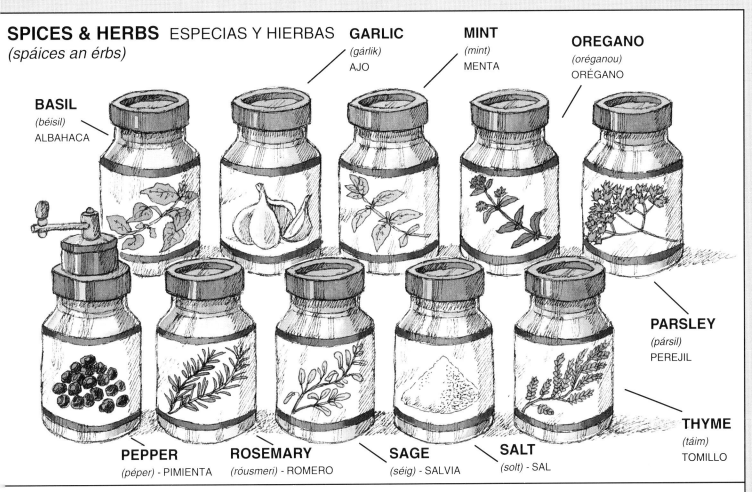

PARSLEY
(pársil)
PEREJIL

THYME
(táim)
TOMILLO

PEPPER
(péper) - PIMIENTA

ROSEMARY
(róusmeri) - ROMERO

SAGE
(séig) - SALVIA

SALT
(solt) - SAL

SPIDER
(spáider)

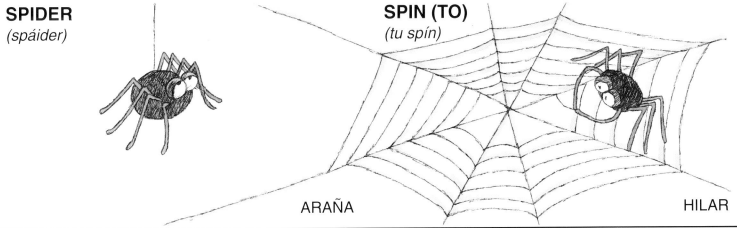

ARAÑA

SPIN (TO)
(tu spín)

HILAR

SPINE
(spáin)

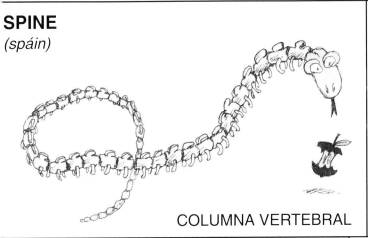

COLUMNA VERTEBRAL

SPOON
(spúun)

CUCHARA

SPORTS DEPORTES
(spórts)

ARCHERY
(árcheri)
ARQUERÍA

AMERICAN FOOTBALL
(américan fútbol)
FÚTBOL AMERICANO

BASEBALL
(béisbol)
BÉISBOL

CRICKET
(kríket)
CRICKET

CYCLING
(sáiklin)
CICLISMO

BASKETBALL
(básketbol)
BALONCESTO

RIDING
(ráiding)
EQUITACIÓN

GYMNASTICS
(gymnástiks)
GIMNASIA

ICE HOCKE
(áis jóki)
HOCKEY
SOBRE HIELO

ICE SKATING
(áis skéiting)
PATINAJE SOBRE HIELO

RUNNING
(ráning)
ATLETISMO

RUGBY
(rúgbi)
RUGBY

SAILING
(séiling)
VELA

SKIING
(skíing)
ESQUÍ

SOCCER / FOOTBALL
(sóker/fútbol)
FÚTBOL

VOLLEYBALL
(vólibol)
BALONVOLEA

SURFING
(sérfing)
SURFING

WEIGHT LIFTING
(uéitlifting)
HALTEROFILIA

TENNIS
(ténis)
TENIS

SWIMMING
(suíming)
NATACIÓN

SQUARE
(skuér)

PLAZA

SQUIRREL
(scuírrel)

ARDILLA

STAMP
(stám)

SELLO / ESTAMPILLA

STAR
(stár)

ESTRELLA

STATION ESTACIÓN
(stéischon)

WAITING ROOM
(uéting rum)
SALA DE ESPERA

STATIONMASTER
(stéischonmaster)
JEFE DE ESTACIÓN

TICKETS

TRAIN
(tréin)
TREN

ARRIVALS   DEPARTURES

CHECKROOM
(chékrum)
CONSIGNA DE EQUIPAJES

CONDUCTOR / TICKET COLLECTOR
(condóctor/tíket coléctor)
CONDUCTOR / REVISOR

TICKET WINDOW
(tíket uíndou)
VENTA DE BILLETES

TIMETABLE
(táimteibl)
TABLERO DE HORARIOS

PORTER
(pórter)
MALETERO

LUGGAGE

TRACK / PLATFORM
(trak/plétform)
VÍA / ANDÉN

STICK
(stik)

PALO

STOP (TO)
(tu stop)

PARAR

STREET
(strít)

CALLE

STRONG
(stróng)

FUERTE

STUDENT
(stiúdent)

STUDY (TO)
(tu stádi)

ESTUDIANTE

ESTUDIAR

SUBMARINE
(súbmarin)

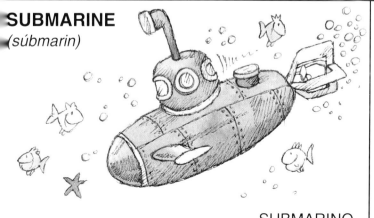

SUBMARINO

SUITCASE
(sútkeis)

MALETA

SUN
(san)

SOL

SUNRISE / SUNSET
(sánrais/sánset)

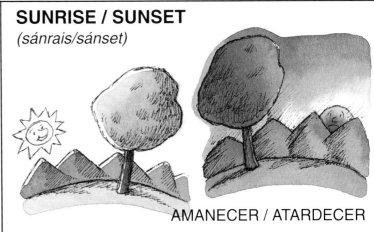

AMANECER / ATARDECER

SUPERMARKET
(súpermarket)

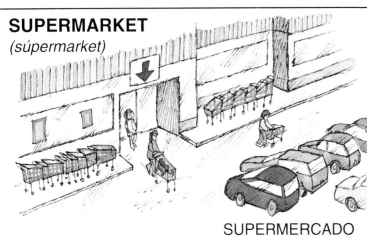

SUPERMERCADO

SURNAME
(sérneim)

APELLIDO

SURPRISE
(serpráis)

SORPRESA

SWEET
(suít)

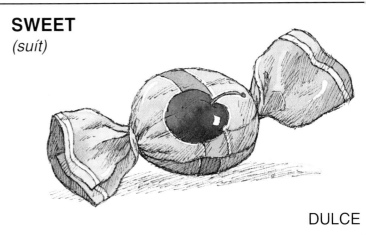

DULCE

SWIM (TO)
(tu suím)

SWIMMING POOL *(suíming pul)*

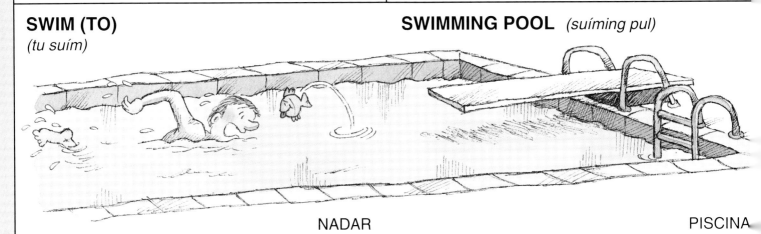

NADAR

PISCINA

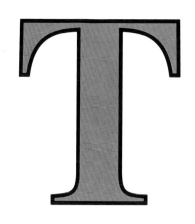

T-SHIRT
(tíschert)

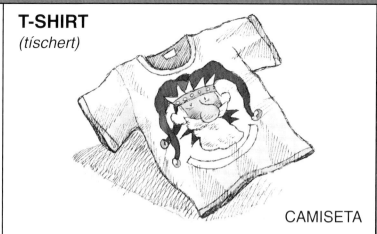

CAMISETA

TABLE
(téibl)

MESA

TABLECLOTH
(téiblklod)

MANTEL

TAIL
(téil)

COLA

TAKE (TO)
(tu téik)

LLEVAR

TAKE (TO)
(tu téik)

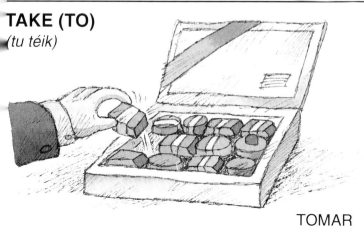

TOMAR

TALL
(tol)

ALTO

TAXI
(táxi)

TAXI

TELEPHONE / FAX
(télefon/fax)

TELÉFONO / TELEFAX

TELEVISION SET
(televíschion set)

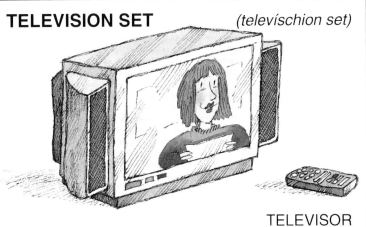

TELEVISOR

TELEX
(télex)

TELEX

TELL (TO)
(tu tel)

CONTAR

TEMPERATURE
(témperchur)

TEMPERATURA

TENNIS COURT
(ténis kort)

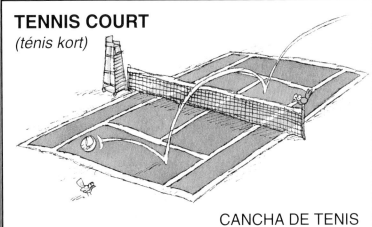

CANCHA DE TENIS

THANK YOU
(thénkiu)

GRACIAS

THAT
(dat)

ESE / ESA / ESO / AQUEL

THE
(de)

EL / LA / LO / LOS / LAS

THEATRE
(tíater)

TEATRO

THEN
(den)

ENTONCES

THERE
(dér)

AHÍ / ALLÍ / ALLÁ

THESE
(díis)

ESTOS / ESTAS

THIN
(thin)

DELGADO

THINK (TO)
(tu think)

PENSAR

THIRSTY (TO BE)
(tu bi thérsti)

(TENER) SED

THIS
(dis)

ESTE / ESTA / ESTO

THOSE
(dóus)

ESOS / AQUELLOS

THROAT
(tróut)

GARGANTA

THUMB
(thum)

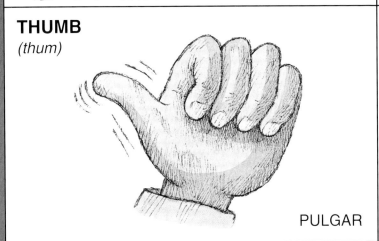

PULGAR

TIME
(táim)

TIEMPO

TIRED
(táier)

CANSADO

TODAY
(tudéi)

HOY

TOGETHER
(tuguéder)

JUNTOS

TOMORROW
(tumórou)

MAÑANA

TONGUE
(tong)

LENGUA

TOOTH (-PASTE / -BRUSH)
(tud-péist/brasch)

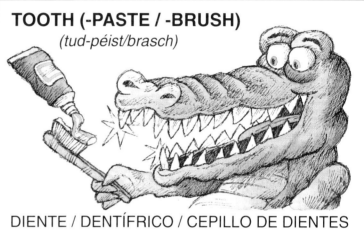

DIENTE / DENTÍFRICO / CEPILLO DE DIENTES

TORTOISE
(tórtes)

TORTUGA

TOWEL
(táuel)

TOALLA

TOWN
(táun)

CIUDAD

TOY
(tói)

JUGUETE

113

TRAFFIC LIGHT
(tráfic láit)

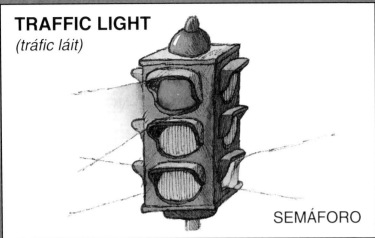

SEMÁFORO

TRAIL
(tréil)

SENDERO

TRAVEL (TO)
(tu trávl)

VIAJAR

TREASURE
(tréschur)

TESORO

TREE
(tri)

ÁRBOL

TURKEY
(térki)

PAVO

TWINS
(tuíns)

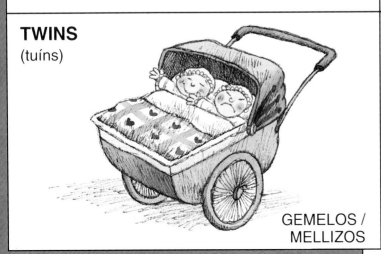

GEMELOS /
MELLIZOS

TYPEWRITER
(tápráiter)

MÁQUINA DE
ESCRIBIR

U

UGLY
(ágli)

FEO

UMBRELLA
(ambréla)

Sombrilla
PARAGUAS

UNDER
(ánder)

DEBAJO

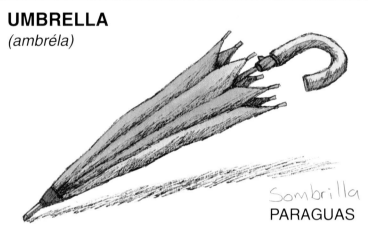

UNDERSTAND (TO)
(tu andersténd)

COMPRENDER

UNHAPPY
(anjápi)

INFELIZ

UNIVERSITY
(iunivérsiti)

UNIVERSIDAD

UP
(ap)

ARRIBA

V

VACANCY
(véikensi)

HABITACIÓN DISPONIBLE

VACATION
(vekéischon)

VACACIÓN

VACUUM CLEANER
(vékium kliner)

ASPIRADORA

VALENTINE'S DAY
(válentainsdéi)

DÍA DE SAN VALENTÍN

VALLEY   *(válei)*

VALLE

VAMPIRE
(vémpair)

VAMPIRO

VASE
(véis)

JARRÓN

VEGETABLES VEGETALES
(végtabls)

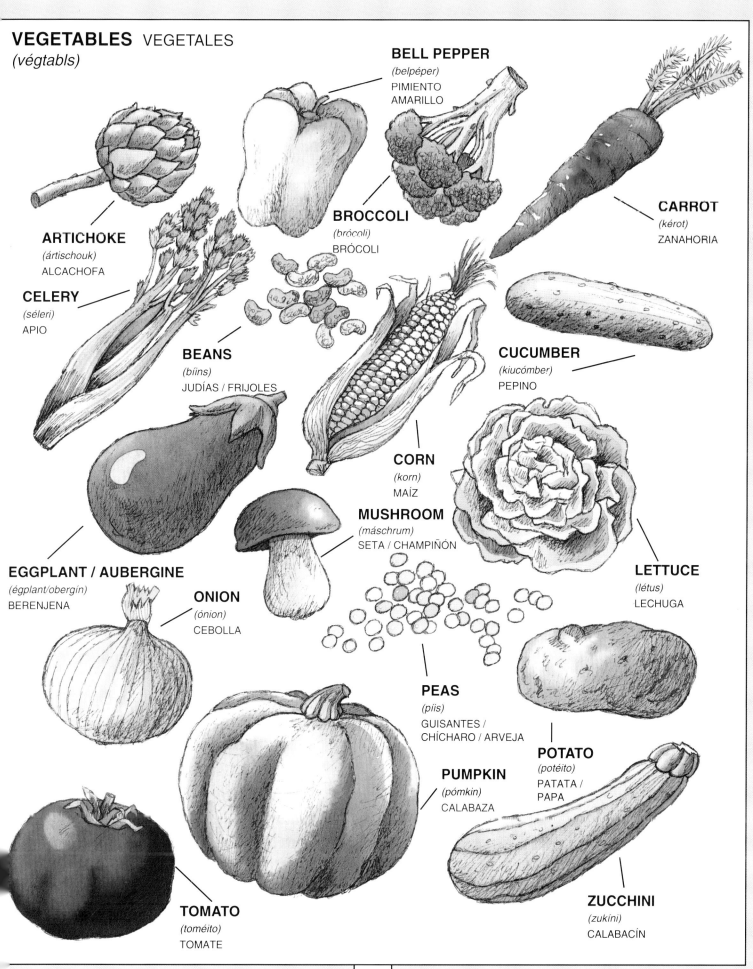

BELL PEPPER
(belpéper)
PIMIENTO AMARILLO

BROCCOLI
(brócoli)
BRÓCOLI

CARROT
(kérot)
ZANAHORIA

ARTICHOKE
(ártischouk)
ALCACHOFA

CELERY
(séleri)
APIO

BEANS
(bíins)
JUDÍAS / FRIJOLES

CUCUMBER
(kiucómber)
PEPINO

CORN
(korn)
MAÍZ

MUSHROOM
(máschrum)
SETA / CHAMPIÑÓN

EGGPLANT / AUBERGINE
(égplant/obergín)
BERENJENA

ONION
(ónion)
CEBOLLA

LETTUCE
(létus)
LECHUGA

PEAS
(píis)
GUISANTES / CHÍCHARO / ARVEJA

POTATO
(potéito)
PATATA / PAPA

PUMPKIN
(pómkin)
CALABAZA

TOMATO
(toméito)
TOMATE

ZUCCHINI
(zukíni)
CALABACÍN

117

VERY
(véri)

MUY

VICTORY
(víctori)

VICTORIA

VIEW
(viú)

VISTA

VILLAGE
(víladg)

PUEBLO

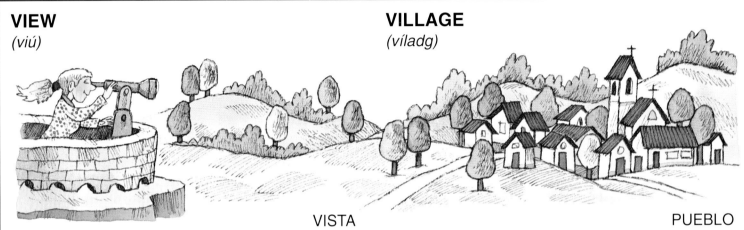

VISA
(vísa)

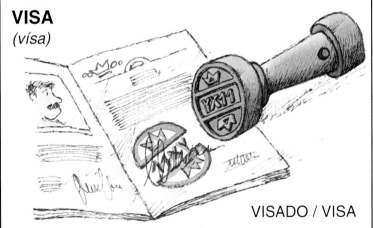

VISADO / VISA

VOICE
(vóis)

VOZ

VOLCANO
(volkéino)

VOLCÁN

VOTE (TO)
(tu vóut)

VOTAR

118

W

WAIST
(uéist)

CINTURA

WAIT FOR (TO)
(tu uéit for)

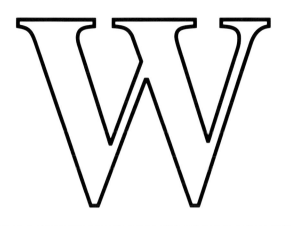

ESPERAR

WAKE UP (TO)
(tu uéik ap)

DESPERTARSE

WALK (TO)
(tu uók)

CAMINAR

WALL
(uól)

MURO

WANT (TO)
(tu uánt)

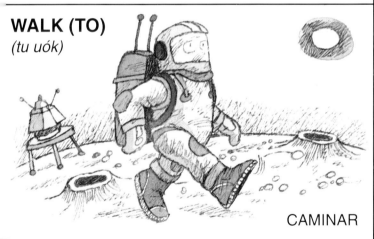

QUERER

WARM (TO)
(tu uórm)

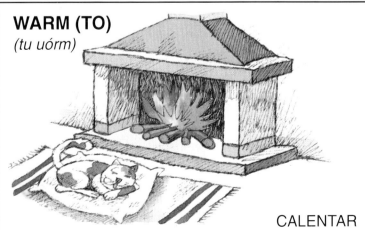

CALENTAR

WASH (TO)
(tu uásch)

LAVAR

WASHING MACHINE
(uásching maschín)

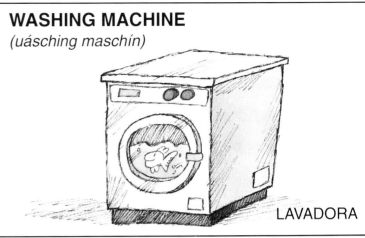

LAVADORA

WATCH
(uátch)

RELOJ

WATER
(uáter)

AGUA

WAVE
(uéiv)

OLA

WEAPON
(uépon)

ARMA

WEAR (TO)
(tu uéar)

LLEVAR PUESTO / USAR

WEATHER
(wéder)

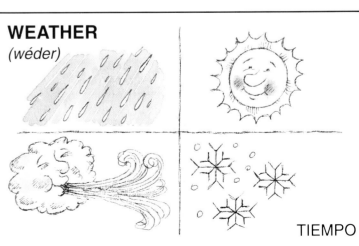

TIEMPO

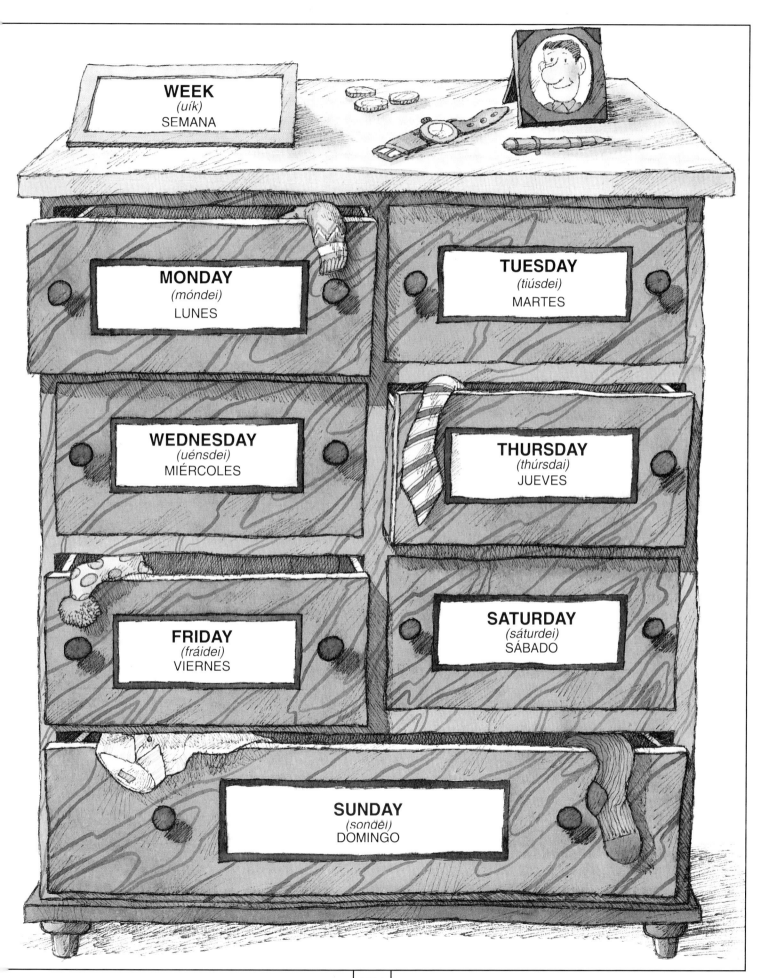

WEEK
(uík)
SEMANA

MONDAY
(móndei)
LUNES

TUESDAY
(tiúsdei)
MARTES

WEDNESDAY
(uénsdei)
MIÉRCOLES

THURSDAY
(thúrsdai)
JUEVES

FRIDAY
(fráidei)
VIERNES

SATURDAY
(sáturdei)
SÁBADO

SUNDAY
(sondei)
DOMINGO

WELCOME
(uélcom)

BIENVENIDO

WELL
(uel)

BIEN

WET
(uet)

MOJADO

WHAT IS IT?
(uot is it)

¿QUÉ ES?

WHEEL
(uíil)

RUEDA

WHEN?
(uén)

¿CUÁNDO?

WHERE?
(uér)

¿DÓNDE?

WHICH?
(uítch)

¿CUÁL?

WHO?
(jú)

¿QUIÉN?

WHY? / BECAUSE
(uái/bikós)

¿POR QUÉ? / PORQUE

WIN (TO) / LOSE (TO)
(tu uín/tu lus)

GANAR / PERDER

WIND
(uínd)

VIENTO

WINDOW
(uíndou)

VENTANA

WITH
(uíd)

CON

WITHOUT
(uidáut)

SIN

WOLF
(uólf)

LOBO

WOMAN
(umán)

MUJER

WOOD
(ud)

BOSQUE

WOOD
(ud)

MADERA

WOOL
(ul)

LANA

WORD
(uórd)

PALABRA

WORK (TO)
(tu uork)

TRABAJAR

WORLD
(uérld)

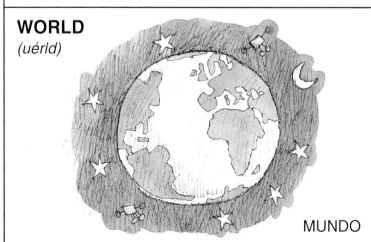

MUNDO

WRITE (TO)
(tu ráit)

ESCRIBIR

124

X

XYLOPHONE
(sáilofon)

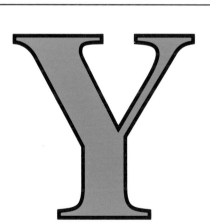

XILÓFONO

X-RAY
(éksrei)

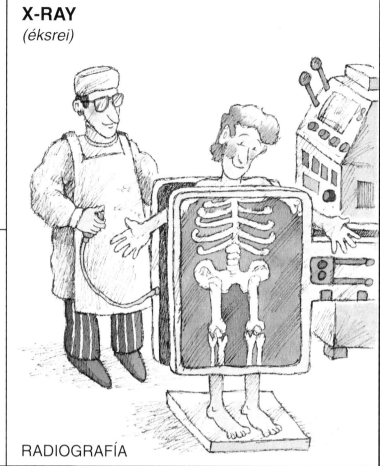

RADIOGRAFÍA

Y

YES
(iés)

SÍ

YESTERDAY
(yiésterdei)

AYER

YOUNG
(ióng)

JOVEN

Z

ZEBRA CROSSING
(síbrakrósing)

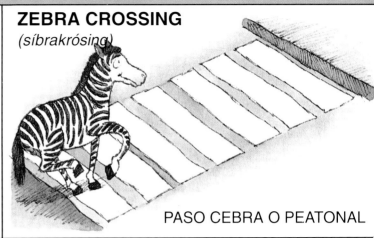

PASO CEBRA O PEATONAL

ZERO
(sero)

CERO

ZIGZAG
(sígsag)

ZIGZAG

ZIPPER
(síper)

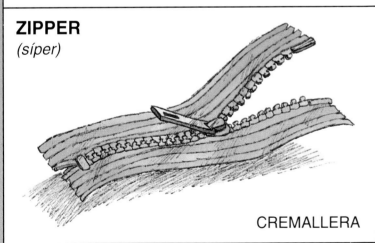

CREMALLERA

ZODIAC
(sóudiac)

ZODÍACO

ZOO
(súu)

JARDÍN ZOOLÓGICO

ÍNDICE

Español	Inglés	Pronunciación	Pág.

Español	Inglés	Pronunciación	Pág.
ARVEJA	PEAS	(píis)	117
ASADO DE BUEY / DE RES	ROAST BEEF	(róustbif)	37
ASCENDER	GO UP (TO)	(tu góu ap)	52
ASCENSOR	ELEVATOR	(elevéiter)	41
ASÍ	SO	(sóu)	102
ASIENTO DELANTERO / TRASERO	FRONT / BACK SEAT	(front/baksit)	25
ASNO	DONKEY	(dónki)	13
ASPIRADORA	VACUUM CLEANER	(vékium kliner)	116
ASTRONAUTA	ASTRONAUT	(ástronot)	14
ATARDECER	SUNSET	(sánset)	35, 108
ÁTICO	ATTIC	(átic)	59
ATLETISMO	RUNNING	(ráning)	105
ATRAPAR	CATCH (TO)	(tu kétch)	26
ATROPELLAR	RUN OVER (TO)	(tu ran óuver)	94
AULA	CLASSROOM	(clásrum)	28
AUSENTE	ABSENT	(ábsent)	7
AUSTRALIA	AUSTRALIA	(ostrélia)	76
AUSTRIA	AUSTRIA	(óstria)	76
AUTOBÚS	BUS	(bas)	23
AUTOMÓVIL	CAR	(car)	25
AUTOPISTA	HIGHWAY	(jáigüei)	57
AUTOSTOP	HITCHHIKING	(jidchjáikin)	58
AVE	POULTRY	(póltri)	37
AVENTURA	ADVENTURE	(edvénchur)	8
AVES DE CAZA	GAME	(géim)	37
AVESTRUZ	OSTRICH	(óstritch)	82
AVIÓN	AIRPLANE	(érplein)	10
AYER	YESTERDAY	(yésterdei)	125
AZAFATA	FLIGHT ATTENDANT	(fláit eténdent)	10
AZÚCAR	SUGAR	(schúgar)	22
AZUL	BLUE	(blu)	31

B

Español	Inglés	Pronunciación	Pág.
BAILAR	DANCE (TO)	(tu dans)	34
BAJAR(SE)	GET DOWN (TO)	(tu guetdáun)	51
BAJAR(SE)	GET OFF (TO)	(tu guetof)	51
BAJAR(SE)	GET OUT (TO)	(tu guetáut)	51

Español	Inglés	Pronunciación	Pág.
BAJO	SHORT	(schórt)	99
BALANZA	SCALE	(skéil)	96
BALCÓN	BALCONY	(bálconi)	59
BALLENA	WHALE	(uéil)	13
BALONCESTO	BASKETBALL	(básketbol)	104
BALONVOLEA	VOLLEYBALL	(vólibol)	105
BALSA	RAFT	(raf)	91
BANANO	BANANA	(benana)	49
BANCO	THWART	(fsuart)	19
BANCO	BANK	(bank)	15
BANDERA	FLAG	(flag)	46
BAÑERA (BAÑARSE)	BATH (TO TAKE A)	(tu teik e bad)	16
BARBA	BEARD	(biird)	16
BARCA	BOAT	(bóut)	19
BARCO	SHIP	(schip)	98
BARRA DEL TIMÓN	TILLER	(tíler)	19
BASURA	GARBAGE	(gárbedg)	50
BATERÍA	DRUMS	(drams)	74
BAÚL	TRUNK	(trank)	55
BEBÉ	BABY	(béibi)	44
BEBER	DRINK (TO)	(tu drink)	39
BEBIDAS	DRINKS	(drinks)	37
BÉISBOL	BASEBALL	(béisbol)	104
BÉLGICA	BELGIUM	(belyium)	76
BERENJENA	EGGPLANT / AUBERGINE	(égplant/obergín)	11
BESO	KISS	(kiss)	6
BIBLIOTECA	LIBRARY	(láibrari)	5
BICICLETA	BICYCLE	(báisikel)	1
BIEN	WELL	(uel)	12
BIENVENIDO	WELCOME	(uélcom)	12
BISTEC	STEAK	(stéik)	3
BLANCO	WHITE	(uáit)	3

Español	Inglés	Pronunciación	Pág.
BLANDO	SOFT	(soft)	1
BLUSA	BLOUSE	(bláuz)	
BOCA	MOUTH	(máud)	
BOCADILLO	SANDWICH	(sánduitch)	
BOCINA	HORN	(jorn)	
BOLÍGRAFO	PEN	(pen)	
BOLSA	BAG	(báag)	
BOLSILLO	POCKET	(póket)	
BOLSO	PURSE	(pérs)	

Español	Inglés	Pronunciación	Pág.
CHICA	GIRL	(gerl)	51
CHÍCHARO	PEAS	(píis)	117
CHICO	BOY	(bói)	21
CHIMENEA	CHIMNEY	(chímni)	59
CHIMENEA	FIREPLACE	(fáierpleis)	59
CHINA	CHINA	(cháina)	77
CHOCOLATE	CHOCOLATE	(chókoleit)	28
CICLISMO	CYCLING	(sáiklin)	104
CIELO	HEAVEN	(jevn)	56
CIELO	SKY	(skái)	100
CIEN	ONE HUNDRED	(uánjándred)	80
CILINDRO	CYLINDER	(silínder)	98
CINCO	FIVE	(fáif)	80
CINE	CINEMA	(cínema)	28
CINTURA	WAIST	(uéist)	20, 119
CINTURÓN	BELT	(belt)	29
CINTURÓN DE SEGURIDAD	SEATBELT	(sítbelt)	25
CIRCO	CIRCUS	(sérkes)	28
CÍRCULO	CIRCLE	(sérkl)	98
CIRUELA	PLUM	(plam)	49
CIUDAD	CITY	(cíti)	28
CIUDAD	TOWN	(táun)	113
CLAVEL	CARNATION	(carnéishon)	47
CLAVO	NAIL	(néil)	75
CLIENTE	CUSTOMER	(cástemr)	33
COCHE	CAR	(car)	25
COCINA	KITCHEN	(kítchen)	59
COCINAR	COOK (TO)	(tu cuk)	32
COCINERA	COOK MAID	(cúkmeid)	86
COCO	COCONUT	(cókenat)	30, 49
CODO	ELBOW	(élbou)	20
CODORNIZ	QUAIL	(kuéil)	89
COLA	TAIL	(téil)	10, 109
COLA	QUEUE	(kiú)	90
COLCHA	QUILT	(kuílt)	90
COLEGIO	COLLEGE	(kóledg)	30
COLGAR	HANG (TO)	(tu jang)	55
COLORES	COLORS	(kálers)	31
COLUMNA VERTEBRAL	SPINE	(spáin)	103
COMEDOR	DINING ROOM	(dáiningrum)	59
COMER	EAT (TO)	(tu iit)	40
COMIDA	MEAL	(mil)	70
COMIDA	LUNCH	(lanch)	68
COMO	HOW	(jáu)	60
¿CÓMO ESTÁ USTED?	HOW DO YOU DO?	(jáu du yu du)	60
¿CÓMO ESTÁS?	HOW ARE YOU?	(jáu ar yu)	60
COMPETICIÓN	COMPETITION	(competíschen)	31
COMPRAR	BUY (TO)	(tu bái)	23
COMPRENDER	UNDERSTAND (TO)	(tu andersténd)	115
COMPUTADOR	COMPUTER	(compiúter)	31
CON	WITH	(uíd)	123
CONCHA	SHELL	(schel)	98
CONCIERTO	CONCERT	(cóncert)	32
CONDUCIR	DRIVE (TO)	(tu dráif)	39
CONDUCTOR	CONDUCTOR	(condóctor)	106

Español	Inglés	Pronunciación	Pág
CONEJO	RABBIT	(rábit)	1
CONO	CONE	(kóun)	9
CONOCER	KNOW (TO)	(tu nóu)	64
CONSIGNA DE EQUIPAJES	CHECKROOM	(chékrum)	106
CONSTRUIR	BUILD (TO)	(tu bild)	2
CONTAR	COUNT (TO)	(tu cáunt)	3
CONTAR	TELL (TO)	(tu tel)	11
CONTENTO	GLAD	(glad)	5
CONTRA	AGAINST	(eguéinst)	
CONTRABAJO	BASS	(béis)	7
CONTROL DE PASAPORTES	PASSPORT CONTROL	(pásport contról)	
CONTROL DE SEGURIDAD	SECURITY CHECK	(sikiúriti chek)	
CONVERSACIÓN	CONVERSATION	(converséischon)	3
CONVERTIRSE	BECOME (TO)	(tu bikám)	1
COPIAR	COPY (TO)	(tu copi)	3
CORAZÓN	HEART	(jart)	5
CORBATA	TIE	(tai)	2
CORDERO	LAMB	(lamb)	3
CORREO	MAIL	(méil)	6
CORRER A / HASTA	RUN TO (TO)	(tu ran tu)	9
CORRER ALREDEDOR	RUN AROUND (TO)	(tu ran aráund)	9
CORRER	RUN (TO)	(tu ran)	9
CORTAR	CUT (TO)	(tu cat)	3
CORTO	SHORT	(schórt)	9
CREAR	MAKE (TO)	(tu méik)	6
CRECER	GROW (TO)	(tu gróu)	5
CREMALLERA	ZIPPER	(síper)	12
CRICKET	CRICKET	(kríket)	10
CROISSANT	CROISSANT	(cruáson)	2
CRUZAR	CROSS (TO)	(tu kros)	3
CUADERNO	EXERCISE BOOK	(éksersais buk)	
CUADRADO	SQUARE	(skuér)	9
CUADRO	FRAME	(fréim)	
CUADRO	PICTURE	(píktcher)	8
¿CUÁL?	WHICH?	(uítch)	1

Español	Inglés	Pronunciación	Pág.
¿CUÁNDO?	WHEN?	(uén)	122
¿CUÁNTO ES?			
¿CUÁNTO LE DEBO?	HOW MUCH?	(jáu mátch)	60
¿CUÁNTOS?	HOW MANY?	(jáu méni)	60
CUARTO DE BAÑO	BATHROOM	(bádrum)	59
CUARTO DE HUÉSPEDES	GUEST ROOM	(géstrum)	59
CUARTO	FOURTH	(forth)	80
CUATRO	FOUR	(for)	80
CUBO	CUBE	(kiúb)	98
CUCHARA	SPOON	(spúun)	103
CUCHILLO	KNIFE	(náif)	64
CUELLO	NECK	(nek)	20
CUERDA	ROPE	(róup)	94
CUERPO	BODY	(bádi)	20
CUIDAR	CARE (TO TAKE...OF)	(tu téik kér ov)	26
CUMPLEAÑOS	BIRTHDAY	(bérdei)	18

D

Español	Inglés	Pronunciación	Pág.
DAÑAR	DAMAGE (TO)	(tu démedg)	34
DAR	GIVE (TO)	(tu gif)	52
DÁTIL	DATE	(déit)	49
DE	FROM	(from)	48
DE	OF	(of)	81
DEBAJO	BELOW	(bilóo)	17
DEBAJO	UNDER	(ánder)	115
DECIDIR	DECIDE (TO)	(tu disáid)	36
DÉCIMO	TENTH	(ténth)	80
DECIR	SAY (TO)	(tu séi)	96
DEDO	FINGER	(fínguer)	20
DEDO DEL PIE	TOE	(tóu)	20
DEDO PULGAR	THUMB	(tham)	20
DEFENSA	BUMPER / FENDER	(bámper/fénder)	19
DELANTE DE	IN FRONT OF	(in front of)	62
DELFÍN	DOLPHIN	(dólfin)	38
DELGADO	THIN	(thin)	111
DENTÍFRICO	TOOTH-PASTE	(tud-péist)	113
DENTISTA	DENTIST	(déntist)	86
DENTRO	IN	(in)	61
DEPORTES	SPORTS	(spórts)	104

Español	Inglés	Pronunciación	Pág.
DEPÓSITO DE CARBURANTE	FUEL TANK	(fiúl tank)	25
DERECHA	RIGHT	(ráit)	93
DESAYUNO	BREAKFAST	(brékfast)	22
DESCANSAR	REST (TO)	(tu rest)	92
DESCENDER	GO DOWN (TO)	(tu góu dáun)	52
DESDE	FROM	(from)	48
DESIERTO	DESERT	(désert)	36
DESNUDO	BARE	(béer)	15
DESORDEN	MESS	(mes)	71
DESPACIO	SLOW	(slóu)	100
DESPERTARSE	WAKE UP (TO)	(tu uéik ap)	119
DESPIERTO	AWAKE	(euéik)	14
DESPUÉS	AFTER	(áfter)	8
DETRÁS	BEHIND	(bijáind)	17
DÍA DE SAN VALENTÍN	VALENTINE'S DAY	(válentainsdéi)	116
DÍA	DAY	(déi)	35
DIARIO	DAILY	(déili)	34
DIBUJO	DRAWING	(dróuin)	39
DIBUJOS ANIMADOS	CARTOONS	(cartúns)	26
DICIEMBRE	DECEMBER	(decembr)	72
DIENTE DE LEÓN	DANDELION	(déndilaion)	34
DIENTE	TOOTH	(tud)	113
DIEZ	TEN	(tén)	80
DIFERENTE	DIFFERENT	(dífrent)	36
DIFÍCIL	DIFFICULT	(díficolt)	36
DINAMARCA	DENMARK	(dénmark)	77
DÍNAMO	DYNAMO	(dáinamo)	18
DINERO	MONEY	(máni)	71
DINERO EN EFECTIVO	CASH	(késh)	26
DINOSAURIO	DINOSAUR	(dáinesor)	38
DIRECCIÓN	DIRECTION	(dirékshon)	38
DIRECCIÓN	ADDRESS	(ádres)	7
DIRECTORA DE ORQUESTA	MUSIC CONDUCTOR	(miúsic condóctor)	86
DISCO	RECORD	(récord)	91
DISCUTIR	DISCUSS (TO)	(tu discáss)	38
DISFRAZ	COSTUME	(cóstium)	32
DISFRUTAR	ENJOY (TO)	(tu enyói)	41

Español	Inglés	Pronunciación	Pág.	Español	Inglés	Pronunciación	Pág.
DOCTORA	DOCTOR	(dóctor)	86	ENSALADA	SALAD	(sálad)	37, 68
DOLOR DE CABEZA	HEADACHE	(jédeik)	56	ENTONCES	THEN	(den)	111
DOMINGO	SUNDAY	(sóndei)	121	ENTRADA	ENTRANCE	(éntrans)	41
¿DÓNDE?	WHERE?	(uér)	122	ENTRAR	GO IN (TO)	(tu góu in)	52
DORMIDO	ASLEEP	(eslíp)	14	ENTRE	BETWEEN	(betuín)	17
DORMIR	SLEEP (TO)	(tu slip)	100	ENTREGA DE EQUIPAJE	BAGGAGE CLAIM	(báguech cleim)	9
DORMITORIO	BEDROOM	(bédrum)	59	ENTREGAR	DELIVER (TO)	(tu dilíver)	36
DOS	TWO	(tu)	80	ENTREMESES	APPETIZERS	(apitáizars)	37
DUCHA	SHOWER	(scháuer)	99	ENVIAR	SEND (TO)	(tu send)	97
DULCE	SWEET	(suít)	108	EQUIPAJE DE MANO	CARRY-ON LUGGAGE	(quérion lógech)	9
DURAZNO	PEACH	(pitch)	49	EQUITACIÓN	RIDING	(ráiding)	104
DURO	HARD	(jard)	55	ERROR	MISTAKE	(mistéik)	7
				ESCALERA	LADDER	(láader)	6
				ESCALERA	STAIRCASE	(stéirkeis)	59

E

Español	Inglés	Pronunciación	Pág.	Español	Inglés	Pronunciación	Pág.
				ESCALERA DE PASAJEROS	PASSENGER STAIRS	(pásencher stérs)	1
ECO	ECHO	(ékou)	41	ESCOBA	BROOM	(brúum)	2
EDAD	AGE	(éich)	8	ESCONDER(SE)	HIDE (TO)	(tu jáid)	5
EGIPTO	EGYPT	(íyipt)	76	ESCRIBIR	WRITE (TO)	(tu ráit)	12
EJERCICIO	EXERCISE	(éksersais)	42	ESCRITORA	WRITER	(ráiter)	8
EL	THE	(de)	111	ESCRITORIO	DESK	(desk)	3
ELECTRICIDAD	ELECTRICITY	(elektríciti)	41	ESCUCHAR	LISTEN (TO)	(tu lísn)	6
ELEFANTE	ELEPHANT	(élefant)	13	ESCUELA	SCHOOL	(scúul)	9
ELEGANTE	ELEGANT	(éligent)	41	ESE / ESA / ESO	THAT	(dat)	11
ELEVALUNA	WINDOW HANDLE	(uíndoujendl)	25	ESFERA	SPHERE	(sfir)	9
EMBRAGUE	CLUTCH	(clátch)	25	ESOS	THOSE	(dóus)	11
EMPAREDADO	SANDWICH	(sánduitch)	68	ESPALDA	BACK	(bak)	2
EMPLEO	JOB	(yiób)	63	ESPAÑA	SPAIN	(spéin)	7
EMPUJAR	PUSH (TO)	(tu pusch)	88	ESPECIAS Y HIERBAS	SPICES & HERBS	(spáices an érbs)	10
EN	AT	(at)	14	ESPEJO	MIRROR	(míror)	7
ENCENDIDO	ON	(on)	82	ESPERAR	WAIT FOR (TO)	(tu uéit for)	11
ENCONTRAR	MEET (TO)	(tu mit)	71	ESPINILLA	SHIN	(schin)	2
ENERO	JANUARY	(yénueri)	72	ESPOSA	WIFE	(uáif)	4
ENFADADO	ANGRY	(angri)	11	ESPOSO	HUSBAND	(jásband)	4
ENFERMERO	NURSE	(ners)	86	ESQUÍ	SKIING	(skíing)	10
ENFERMO	ILL	(il)	61	ESTABLO	BARN	(barn)	
				ESTACIÓN	STATION	(stéischon)	10
				ESTACIONES	SEASONS	(sísons)	9
				ESTADOS UNIDOS DE AMÉRICA	U.S.A.	(íusséi)	
				ESTAMPILLA	STAMP	(stám)	1
				ESTANTERÍA	BOOKCASE	(búkkeis)	5
				ESTAR	BE (TO)	(tu bi)	
				ESTE / ESTA / ESTO	THIS	(dis)	1
				ESTE	EAST	(íst)	
				ESTOFADO	STEW	(stiú)	
				ESTÓMAGO	STOMACH	(stómek)	
				ESTORNUDAR	SNEEZE (TO)	(tu snis)	1
				ESTOS / ESTAS	THESE	(díis)	1
				ESTRECHO	NARROW	(nárou)	
				ESTRELLA	STAR	(stár)	1
				ESTROPEAR	DAMAGE (TO)	(tu démedg)	
				ESTUDIANTE	STUDENT	(stiúdent)	1
				ESTUDIAR	STUDY (TO)	(tu stádi)	1
				ESTUDIO	STUDY	(stádi)	
ENFERMO	SICK	(sik)	99	EXAMEN	EXAM	(eksám)	
¡ENHORABUENA!	CONGRATULATIONS!	(kengretiuleischens)	32	EXPLICAR	EXPLAIN (TO)	(tu ikspléin)	
ENOJADO	ANGRY	(angri)	11	EXTRA	EXTRA	(ékstra)	

Español	Inglés	Pronunciación	Pág.

F

FÁBRICA	FACTORY	(fáctori)	43
FÁBULA	FABLE	(féibol)	43
FÁCIL	EASY	(ísi)	40
FALDA	SKIRT	(skért)	29
FALSO	FALSE	(fols)	43
FAMILIA	FAMILY	(fámili)	44
FAMOSO	FAMOUS	(féimus)	45
FANTASMA	GHOST	(gost)	51
FARMACIA	PHARMACY	(fármasi)	27
FARO DELANTERO	HEADLIGHT	(hedláit)	25
FAVORITO	FAVORITE	(féivorit)	45
FEBRERO	FEBRUARY	(fébrueri)	72

FECHA	DATE	(déit)	34
FELICITACIONES!	CONGRATULATIONS!	(kengretiuleischens)	32
FELIZ	HAPPY	(jápi)	55
FEMENINO	FEMALE	(fímeil)	46
FEO	UGLY	(ágli)	115
FERIA	FAIR	(féar)	43
FIESTA	PARTY	(párti)	83
FIGURAS GEOMÉTRICAS	SHAPES	(schéips)	98
FILETE	STEAK	(stéik)	37
FIN	END	(end)	41
FINLANDIA	FINLAND	(fínlen)	76
FLAUTA	FLUTE	(fluut)	74
FLECHA	ARROW	(árou)	14
FLORES	FLOWERS	(fláuers)	47
FOCA	SEAL	(síil)	96
FONDO	BOTTOM	(bótom)	21
FONTANERO	PLUMBER	(plómer)	87
FÓSFORO	MATCH	(mátch)	70
FOTOGRAFÍA	PHOTOGRAPH	(fótograf)	84
FRAMBUESA	RASPBERRY	(ráspbri)	49
FRANCIA	FRANCE	(frans)	76
FRASCO	JAR	(yiár)	63
FRECUENTEMENTE	OFTEN	(ófen)	81
FRENO	BRAKE	(bréik)	18, 25
FRENO DE MANO	HAND BRAKE	(jenbréik)	25
FRESA	STRAWBERRY	(stróubri)	49
FRIJOLES	BEANS	(bíins)	117
FRÍO	COLD	(cóuld)	30
FRUTA	FRUIT	(frut)	49
FUEGO	FIRE	(fáier)	46

FUERTE	STRONG	(stróng)	107
FUSELAJE	FUSELAGE	(fiúslech)	10
FÚTBOL AMERICANO	AMERICAN FOOTBALL	(américan fútbol)	104
FÚTBOL	SOCCER / FOOTBALL	(sóker/fútbol)	105

G

GABARDINA	OVERCOAT	(óuverkout)	29
GAFAS	GLASSES	(gláses)	52
GALLETA	COOKIE	(cúki)	68
GALLETA	BISCUIT	(bískit)	22
GALLINA	HEN	(jen)	12
GALLO	ROOSTER	(rúster)	12
GALLO	COCK	(kok)	30
GANAR	WIN (TO)	(tu uín)	123
GANAR	EARN (TO)	(tu ern)	40
GARAJE	GARAGE	(guerádg)	50

GARDENIA	GARDENIA	(gardínia)	47
GARGANTA	THROAT	(tróut)	112
GASOLINA	GASOLINE	(gásolin)	50
GASTAR	SPEND (TO)	(tu spend)	102
GATO	CAT	(caat)	12
GEMELOS	TWINS	(tuíns)	114
GERANIO	GERANIUM	(yiréniem)	47
GIGANTE	GIANT	(giáient)	51

133

Español	Inglés	Pronunciación	Pág.
GIMNASIA	GYMNASTICS	(gimnástiks)	54, 104
GIRASOL	SUNFLOWER	(sanfláuer)	47
GLOBO	BALLOON	(balúun)	15
GOLPEAR	KNOCK (TO)	(tu nok)	64
GOMA DE BORRAR	RUBBER / ERASER	(ráber/iréiser)	94
GORDO	FAT	(fáat)	45
GORILA	GORILLA	(goríla)	12
GORRA	CAP	(cap)	29
GRACIAS	THANK YOU	(thénkiu)	110
GRAMO	GRAM	(gram)	53
GRANADA	POMEGRANATE	(pómgrenit)	49
GRANDE	BIG	(big)	18
GRANJA	FARM	(farm)	45
GRAVEDAD	GRAVITY	(gráviti)	53
GRECIA	GREECE	(griis)	77
GRIETA	CRACK	(krek)	33
GRIFO	FAUCET	(fousit)	45
GRIPE / GRIPA	FLU	(flu)	47
GRITAR	SHOUT (TO)	(tu scháut)	99
GRUPO	GROUP	(grup)	54
GUANTE	GLOVE	(glov)	29
GUANTERA	GLOVE COMPARTMENT	(glov cámparmen)	25
GUAPA	BEAUTIFUL	(biútiful)	16
GUAPO	HANDSOME	(jánsom)	55
GUARDABARROS	FENDER	(fénder)	18
GUISANTES	PEAS	(píis)	117
GUITARRA	GUITAR	(guitár)	54
GUITARRA ELÉCTRICA	ELECTRIC GUITAR	(eléctrik guitár)	74
GUSTAR	LIKE (TO)	(tu láik)	67

H

Español	Inglés	Pronunciación	Pág.
HABER	HAVE (TO)	(tu jaf)	56
HABITACIÓN DISPONIBLE	VACANCY	(véikensi)	116
HABITACIÓN	BEDROOM	(bédrum)	59

Español	Inglés	Pronunciación	Pág.
HABLAR	SPEAK (TO)	(tu spik)	102
HACER	DO (TO)	(tu du)	38
HADA	FAIRY	(féiri)	43
HALTEROFILIA	WEIGHT LIFTING	(uéitlifting)	105

Español	Inglés	Pronunciación	Pág.
HAMBRE (TENER)	HUNGRY (TO BE)	(tu bi jángri)	60
HAMBURGUESA	HAMBURGER	(jámberger)	68
HANGAR	HANGAR	(jéngar)	10
HELADO	ICE CREAM	(áiskrim)	37, 61
HÉLICE	PROPELLER	(propéler)	19
HELICÓPTERO	HELICOPTER	(jélikopter)	57
HERMANA	SISTER	(síster)	44
HERMANO	BROTHER	(bróder)	44
HIELO	ICE	(áis)	61
HIERBA	GRASS	(grass)	53
HIJA	DAUGHTER	(dóter)	44
HIJO	SON	(son)	44
HILAR	SPIN (TO)	(tu spín)	103
HOCKEY SOBRE HIELO	ICE HOCKEY	(áis jóki)	104
HOGAR	HOME	(jom)	58
HOJA	LEAF	(liif)	66
HOLA	HELLO	(jélou)	57
HOLANDA	HOLLAND	(jóland)	77
HOMBRE	MAN	(máan)	69
HOMBRO	SHOULDER	(schóulder)	20
HOSPITAL	HOSPITAL	(jóspital)	58
HOTEL	HOTEL	(jótel)	58
I IOY	TODAY	(tudéi)	112
HUESO	BONE	(búun)	2
HUÉSPED	GUEST	(guest)	5
HUEVO	EGG	(ég)	2
HUIR	RUN AWAY (TO)	(tu ran egüéy)	9
HUMO	SMOKE	(smóuk)	10
HURACÁN	HURRICANE	(járikein)	6

I

Español	Inglés	Pronunciación	Pág.
IDEA	IDEA	(aidía)	6
IGLESIA	CHURCH	(chertch)	2
IGUAL	SAME	(séim)	9
IGUAL	EQUAL	(íkual)	4
IMPORTANTE	IMPORTANT	(impórtant)	6
INDIA	INDIA	(índia)	7
INDICADOR DE DIRECCIÓN	INDICATOR SWITCH	(indikéitor suitch)	2
INDIO	INDIAN	(índian)	6
INFELIZ	UNHAPPY	(anjápi)	1
INFORMACIÓN	INFORMATION	(informéishion)	6
INFORMACIÓN DE VUELOS	FLIGHT INFORMATION	(fláit informéischon)	
INSTRUMENTOS MUSICALES	MUSICAL INSTRUMENTS	(miúsical instruments)	
INTELIGENTE	SMART	(smart)	1
INTERROGAR	QUIZ (TO)	(tu kuís)	
INVIERNO	WINTER	(uínter)	
IR	GO (TO)	(tu góu)	
IRLANDA	IRELAND	(áierlan)	
ISLA	ISLAND	(áiland)	
ISRAEL	ISRAEL	(ísrel)	
ITALIA	ITALY	(ítali)	
IZQUIERDA	LEFT	(léft)	

134

Español	Inglés	Pronunciación	Pág.
J			
JABÓN	SOAP	(sóup)	102
JAMÓN	HAM	(jem)	37
JAPÓN	JAPAN	(yápan)	77
JARDÍN	GARDEN	(gárdn)	50
JARDÍN ZOOLÓGICO	ZOO	(súu)	126
JARRÓN	VASE	(véis)	116
JEANS	JEANS	(gins)	29
JEFE DE ESTACIÓN	STATIONMASTER	(stéischonmaster)	106
JEFE	BOSS	(bos)	21
JERSEY	SWEATER	(suéter)	29
JOVEN	YOUNG	(ióng)	125
JOYA	JEWEL	(yiúel)	63
JUDÍAS	BEANS	(bíins)	117
JUEGO	GAME	(géim)	50
JUEVES	THURSDAY	(thúrsdai)	121
JUEZ	JUDGF	(yiódg)	63
JUGAR	PLAY (TO)	(tu pléi)	84
JUGO DE FRUTAS	FRUIT JUICE	(frútgius)	22
JUGUETE	TOY	(tói)	113
JULIO	JULY	(yulái)	72
JUNIO	JUNE	(yiún)	72
JUNTOS	TOGETHER	(tuguéder)	113

Español	Inglés	Pronunciación	Pág.
LANA	WOOL	(ul)	124
LÁPIZ	PENCIL	(pensl)	84
LARGO	LONG	(long)	68
LAVADORA	WASHING MACHINE	(uásching maschín)	120
LAVAR	WASH (TO)	(tu uásch)	120
LECCIÓN	LESSON	(lesn)	66
LECHE	MILK	(milk)	22
LECHUGA	LETTUCE	(létus)	117
LEER	READ (TO)	(tu rid)	91
LEJOS	FAR	(far)	45
LENGUA	TONGUE	(tong)	113
LEÓN	LION	(láion)	13
LEVANTAR	LIFT (TO)	(tu lift)	67
LEVANTARSE	GET UP (TO)	(tu guetup)	51
LIBRO	BOOK	(buk)	21
LIGERO	LIGHT	(láit)	67
LIMA	LIME	(láim)	49
LIMÓN	LEMON	(lémon)	49
LIMPIAPARABRISAS	WIPER	(uáiper)	25
LIMPIO	CLEAN	(cliin)	28
LINDA	BEAUTIFUL	(biútiful)	16
LIRIO	LILY	(lili)	47
LLAMAR	CALL (TO)	(tu col)	24
LLANTA	TIRE	(táier)	25
LLAVE DE CONTACTO	IGNITION SWITCH	(ignéschen suitch)	25
LLAVE	KEY	(ki)	64
LLEGADAS	ARRIVALS	(eráivals)	9
LLENO	FULL	(ful)	41
LLEVAR	TAKE (TO)	(tu téik)	109

Español	Inglés	Pronunciación	Pág.
K			
KIWI	KIWI	(kíui)	49
L			
EL / LA / LO / LOS / LAS	THE	(de)	111
LABIOS	LIPS	(lips)	67
LAGO	LAKE	(léik)	65
LÁMPARA	LAMP	(lámp)	65

Español	Inglés	Pronunciación	Pág.
LLEVAR	CARRY (TO)	(tu kéri)	26
LLEVAR PUESTO	WEAR (TO)	(tu uéar)	120
LLORAR	CRY (TO)	(tu crái)	33
LLUVIA	RAIN	(róin)	91
¡LO SIENTO!	SORRY!	(sóri)	102
LOBO	WOLF	(uolf)	123
LUNA	MOON	(muun)	73
LUNES	MONDAY	(móndei)	121
LUZ	LIGHT	(láit)	18, 67
LUZ DE FRENO	BRAKE LIGHT	(bréik láit)	25
LUZ TRASERA	REFLECTOR	(riflécter)	18

Español	Inglés	Pronunciación	Pág.
M			
MADERA	WOOD	(ud)	124
MADRE	MOTHER	(máder)	44
MAGO	MAGICIAN	(méyishian)	69
MAÍZ	CORN	(korn)	117
MALETA	SUITCASE	(sútkeis)	107
MALETERO	PORTER	(pórter)	106
MALETERO	TRUNK / BOOT	(trank/buut)	25
MALO	BAD	(báad)	15
MANDÍBULA	JAW	(yió)	63
MANGA DE VIENTO	WINDSOCK	(uínsok)	10
MANIJA DE LA PUERTA	DOOR HANDLE	(dorjendl)	25
MANILLAR	HANDLEBAR	(jéndelbar)	18
MANO	HAND	(jend)	20
MANTA	BLANKET	(blánket)	18
MANTEL	TABLECLOTH	(téiblklod)	109
MANTEQUILLA	BUTTER	(báter)	22
MANZANA	BLOCK	(blok)	19
MANZANA	APPLE	(ápl)	49
MAÑANA	MORNING	(mórning)	35

Español	Inglés	Pronunciación	Pág.
MAÑANA	TOMORROW	(tumórou)	113
MAPA	MAP	(map)	70
MÁQUINA DE ESCRIBIR	TYPEWRITER	(tápráiter)	114
MAR	SEA	(si)	96
MARCHAR(SE)	LEAVE (TO)	(tu líif)	66
MARGARITA	DAISY	(déisi)	47
MARINERO	SAILOR	(séilor)	87
MARIPOSA	BUTTERFLY	(báterflai)	23
MARIQUITA	LADYBUG	(léidibug)	65
MARRÓN	BROWN	(bráun)	31
MARTES	TUESDAY	(tiúsdei)	121
MARTILLO	HAMMER	(jámer)	55
MARZO	MARCH	(martch)	72
MASCULINO	MALE	(méil)	69
MATEMÁTICAS	MATH	(mad)	70
MATRÍCULA	LICENSE / NUMBER PLATE	(láisens/ némber pléit)	25

Español	Inglés	Pronunciación	Pág.
MATRIMONIO	MARRIAGE	(méridtch)	70
MAYO	MAY	(méi)	72
MEDIANOCHE	MIDNIGHT	(mídnait)	35
MEDIAS	SOCKS	(soks)	29
MEDIAS	STOCKINGS	(stókins)	29
MEDICAMENTO	MEDICINE	(médisin)	70
MEDIODÍA	NOON	(nun)	35
MELLIZOS	TWINS	(tuíns)	114
MELOCOTÓN	PEACH	(pitch)	49
MELÓN	MELON	(mélon)	49
MENSAJE	MESSAGE	(mesidg)	71
MENTA	MINT	(mint)	103
MENTIRA	LIE	(lái)	66
MENTÓN	CHIN	(chin)	20
MENÚ	MENU	(méniu)	71
MERCADO	MARKET	(márket)	70
MERMELADA	JAM	(gém)	22
MESA	TABLE	(téibl)	59, 109
MESES	MONTHS	(manths)	72
MÉXICO	MEXICO	(méksico)	77
MIÉRCOLES	WEDNESDAY	(uénsdei)	121
MIL	ONE THOUSAND	(uántháusand)	80
MINUTO	MINUTE	(mínit)	71
MIRAR	LOOK AT (TO)	(tu luk at)	68
MITAD	HALF	(jalf)	55
MOCHILA	RUCKSACK	(ráksek)	94
MOJADO	WET	(uet)	122
MONEDA	COIN	(cóin)	30
MONO	MONKEY	(mónki)	12
MONTAÑA	MOUNTAIN	(máuntan)	73
MOQUETA	CARPET	(cárpet)	59
MORA	BLACKBERRY	(blákbri)	49
MORRAL	RUCKSACK	(ráksek)	94
MOSQUITO	MOSQUITO	(moskítou)	73
MOTOCICLETA	MOTORCYCLE	(móutesáikl)	73
MOTOCROS	MOTOCROSS	(mótokross)	73
MOTOR	MOTOR	(móter)	18
MOTOR	ENGINE	(énchin)	10, 25
MOVER	MOVE (TO)	(tu muf)	74
MUCHO	MUCH	(mach)	7
MUCHOS / MUCHAS	MANY	(méni)	6
MUERTO	DEAD	(ded)	34
MUJER	WOMAN	(umán)	12
MUNDO	WORLD	(uérld)	12
MUÑECA	DOLL	(dol)	3
MUÑECA	WRIST	(rist)	2
MURO	WALL	(uól)	11
MÚSCULO	MUSCLE	(masl)	7
MUSEO	MUSEUM	(miusíem)	7
MÚSICO	MUSICIAN	(miusíschian)	8
MUSLO	THIGH	(thái)	2
MUY	VERY	(véri)	11

Español	Inglés	Pronunciación	Pág.

Español	Inglés	Pronunciación	Pág.
PAPA	POTATO	(potéito)	117
PAPAGAYO	PARROT	(pérot)	83
PAPAS FRITAS	FRENCH FRIES	(frénchfrais)	68

Español	Inglés	Pronunciación	Pág.
PAPEL	PAPER	(péiper)	83
PARABRISAS	WINDSHIELD / WINDSCREEN	(uínshil/uínscriin)	25
PARACAÍDAS	PARACHUTE	(péreschiut)	83
PARACHOQUES	BUMPER	(bámper)	25
PARAGUAS	UMBRELLA	(ambréla)	115
PARAR	STOP (TO)	(tu stop)	107
PARED	WALL	(uól)	59
PARIENTES	RELATIVES	(rélatifs)	92
PARQUE	PARK	(park)	83
PASADOR	BARRETTE	(barét)	29
PASAPORTE	PASSPORT	(pásport)	83
PASO CEBRA O PEATONAL	ZEBRA CROSSING	(síbrakrósing)	126
PASTA	PASTA	(pasta)	68
PASTEL	CAKE	(kéik)	37
PATATA	POTATO	(potéito)	117
PATATAS FRITAS	FRENCH FRIES	(frénchfrais)	68
PATINAJE SOBRE HIELO	ICE SKATING	(áis skéiting)	104
PATINAR	SKATE (TO)	(tu skéit)	100
PATIO	YARD	(iard)	59
PATO	DUCK	(dak)	39
PAVO	TURKEY	(térki)	37, 114
PAYASO	CLOWN	(kláun)	30
PECHO	CHEST	(chest)	20
PEDAL	PEDAL	(pédl)	18
PEDIR	ORDER (TO)	(tu órder)	82
PEINE	COMB	(cóum)	31
PELEAR	QUARREL (TO)	(tu kuárrel)	89
PELÍCULA	FILM	(film)	46
PELIGRO	DANGER	(déingiar)	34
PELOTA	BALL	(bool)	15
PELUQUERO	BARBER	(bárber)	86
PENDIENTE	EARRING	(írin)	29
PENSAR	THINK (TO)	(tu think)	111
PEPINO	CUCUMBER	(kiucómber)	117
PEQUEÑO	SMALL	(smol)	101
PEQUEÑO	LITTLE	(litl)	67
PERA	PEAR	(péar)	49
PERCHERO	COAT TREE	(cóutri)	59

Español	Inglés	Pronunciación	Pág.
PERDER	LOSE (TO)	(tu lus)	123
PEREJIL	PARSLEY	(pársil)	103
PEREZOSO	LAZY	(léisi)	66
PERIÓDICO	NEWSPAPER	(niúspéiper)	78
PERO	BUT	(bat)	23
PERRO	DOG	(dog)	12
PERRO CALIENTE	HOT DOG	(jotdog)	68
PERSEGUIR	RUN AFTER (TO)	(tu ran áfter)	94
PESADO	HEAVY	(jévi)	56
PESCADO	FISH	(fish)	37
PESCADOR	FISHERMAN	(físcherman)	87
PETRÓLEO	PETROLEUM	(petróliem)	84
PEZ	FISH	(fisch)	46
PIANO	PIANO	(piáno)	74
PIE	FOOT	(fut)	20
PIEL	SKIN	(skin)	100

Español	Inglés	Pronunciación	Pág.
PIERNA	LEG	(lég)	2
PILOTO	PILOT	(páilot)	1
PIMIENTA	PEPPER	(péper)	10
PIMIENTO AMARILLO	BELL PEPPER	(belpéper)	11
PINGÜINO	PENGUIN	(pénguin)	8
PINTOR	PAINTER	(péinter)	8
PIÑA	PINEAPPLE	(páinepl)	4
PIRÁMIDE	PYRAMID	(píramid)	88, 9
PISCINA	SWIMMING POOL	(suíming pul)	10
PIZARRA	BLACKBOARD	(blákbord)	1
PIZZA	PIZZA	(pídsa)	6
PLACA	LICENSE / NUMBER PLATE	(láisens/ némber pléit)	2
PLATO	PLATE	(pléit)	8
PLAYA	BEACH	(bíich)	1
PLAZA	SQUARE	(skuér)	10
PLOMERO	PLUMBER	(plómer)	8
PLUMA	FEATHER	(féder)	4
PLUMA	PEN	(pen)	8
PLUMA DE OCA	QUILL	(kuíl)	9
PODER	CAN	(ken)	2
POLICÍA	POLICE OFFICER	(polís óficer)	8
POLLO	CHICKEN	(chíken)	3
POLUCIÓN	POLLUTION	(polúschion)	8
POMELO	GRAPEFRUIT	(gréipfrut)	4

Español	Inglés	Pronunciación	Pág.
POPA	STERN	(stéern)	19
POR FAVOR	PLEASE	(pliis)	85
¿POR QUÉ?	WHY?	(uái)	123
PORCHE	PORCH	(poursh)	59
PORQUE	BECAUSE	(bikós)	123
PORTAEQUIPAJES	CARRIER	(kérier)	18
PORTALÓN	GATE	(guéit)	50
PORTUGAL	PORTUGAL	(pórtchegal)	77
POSTAEQUIPAJE	TRUNK / BOOT	(trank/buut)	25
POSTRE	DESSERT	(disért)	37
PREGUNTA	QUESTION	(kuéstion)	89
PREGUNTAR	ASK (TO)	(tu ask)	14
PRESENTAR	INTRODUCE (TO)	(tu introdiús)	62
PRIMAVERA	SPRING	(spríng)	97
PRIMERO	FIRST	(ferst)	80
PRIMOS	COUSINS	(kásns)	44
PROA	BOW	(báu)	19
PROBLEMA	PROBLEM	(próblem)	85
PROFESIONES	PROFESSIONS	(proféschions)	86
PROFESOR	PROFESSOR	(profésor)	88
PROFESOR	TEACHER	(tícher)	87
PROMETER	PROMISE (TO)	(tu prómis)	88
PUEBLO	VILLAGE	(víladg)	118
PUENTE	BRIDGE	(bridg)	22
PUERTA	DOOR	(dor)	25, 39
PUERTA PRINCIPAL	FRONT DOOR	(frontdor)	59
PUERTA DE SALIDA	GATE	(guéit)	9
PUERTO	PORT	(port)	85
PULGADA	INCH	(intch)	62
PULGAR	THUMB	(thum)	112

Q

Español	Inglés	Pronunciación	Pág.
QUÉ ES?	WHAT IS IT?	(uot is it)	122
QUEMAR	BURN (TO)	(tu bern)	23
QUERER	WANT (TO)	(tu uánt)	119
QUERIDO	DEAR	(díar)	36
QUESO	CHEESE	(chíis)	37
QUIÉN?	WHO?	(jú)	123
QUINTO	FIFTH	(fith)	80
QUÍMICO	CHEMIST'S	(kémists)	27

R

Español	Inglés	Pronunciación	Pág.
RADAR	RADAR	(réidar)	10
RADIO	RADIO	(réidiou)	25, 91
RADIOS	SPOKES	(spóuks)	18
RANA	FROG	(frog)	13
RÁPIDO	QUICK	(kuík)	90
RÁPIDO	FAST	(fast)	45
RASCACIELOS	SKYSCRAPER	(skáiskréiper)	100
RATÓN	MOUSE	(máus)	73
RAYOS X	X-RAY	(éksrei)	125

Español	Inglés	Pronunciación	Pág.
REAL	ROYAL	(róial)	94
REBAJA	SALE	(séil)	95
RECEPCIÓN DE EQUIPAJE	CHECK-IN	(chékin)	9
RECTÁNGULO	RECTANGLE	(rektángl)	98
REFRESCO	SOFT DRINK	(soft drink)	68
REGALO	PRESENT	(présent)	85
REGALO	GIFT	(gift)	51
REINA	QUEEN	(kuín)	89
REINO UNIDO	UNITED KINGDOM	(iunáitd kíndom)	77
REÍR	LAUGH (TO)	(tu laf)	65
RELAJARSE	RELAX (TO)	(tu riláx)	92
RELLENO	STUFFING	(stáfing)	37
RELOJ	WATCH	(uátch)	120
RELOJ DESPERTADOR	ALARM CLOCK	(alárm clok)	11
REMO	OAR	(oor)	19
REPARAR	FIX (TO)	(tu fiks)	46
REPETIR	REPEAT (TO)	(tu ripít)	92
RESFRIADO	COLD	(cóuld)	30
RESPUESTA	ANSWER	(ánser)	14
RESTAURANTE	RESTAURANT	(réstorant)	92
RETROVISOR	REARVIEW MIRROR	(ríeviumírror)	25
RETROVISOR LATERAL	SIDE MIRROR	(sáid mírror)	25
REVISOR	TICKET COLLECTOR	(tíket coléctor)	106
REVISTA	MAGAZINE	(mégesin)	69
REY	KING	(king)	64
RICO	RICH	(ritch)	93
RINOCERONTE	RHINOCEROS	(rainóceros)	92
RÍO	RIVER	(ríver)	93
ROBLE	OAK	(óuk)	81
ROBOT	ROBOT	(róubot)	93
ROCA	ROCK	(rok)	93
RODAR	ROLL (TO)	(tu rol)	93
RODILLA	KNEE	(nii)	20
ROJO	RED	(red)	31
ROMERO	ROSEMARY	(róusmeri)	103
ROMPECABEZAS	PUZZLE	(pázel)	88
ROPA	CLOTHES	(clóus)	29
ROSA	ROSE	(róus)	47
ROSA	PINK	(pink)	31
RUBIO	BLOND	(blond)	19
RUEDA	TIRE	(táier)	25
RUEDA	WHEEL	(uíil)	18, 122
RUEDA DE RECAMBIO	SPARE TIRE	(spértáier)	25
RUGBY	RUGBY	(rúgbi)	105
RUIDO	NOISE	(nóis)	78
RUSIA	RUSSIA	(ráshia)	76

S

Español	Inglés	Pronunciación	Pág.
SÁBADO	SATURDAY	(sáturdei)	121
SABER	KNOW (TO)	(tu nóu)	64
SAL	SALT	(solt)	103
SALA	LIVING ROOM	(lívingrum)	59
SALA DE ESPERA	WAITING ROOM	(uéting rum)	106
SALCHICHA	SAUSAGE	(sósidg)	22

Español	Inglés	Pronunciación	Pág.	Español	Inglés	Pronunciación	Pág.
SALIDA	EXIT	(éksit)	42	SIN	WITHOUT	(uidáut)	123
SALIDAS	DEPARTURES	(dipárchurs)	9	SIN EMBARGO	HOWEVER	(jáuever)	60
SALIR	GO OUT (TO)	(tu góu áut)	52	SOBRE	ENVELOPE	(énvilop)	42
SALÓN DE CLASE	CLASSROOM	(clásrum)	28	SOBRINO / SOBRINA	NEPHEW / NIECE	(néfiu/nis)	44
SALTAMONTES	GRASSHOPPER	(grásshoper)	53	SOCORRO	HELP	(jelp)	57
SALTAR	JUMP (TO)	(tu yiamp)	63	SOFÁ	SOFA	(soúfa)	59
SALUDAR	GREET (TO)	(tu gríit)	53	SOL	SUN	(san)	108
SALVIA	SAGE	(séig)	103	SOLAMENTE	ONLY	(óunli)	82
SANDÍA	WATERMELON	(úatermélon)	49	SOLDADO	SOLDIER	(sóuldier)	87
SANGRE	BLOOD	(blad)	19	SOLO	ALONE	(elón)	11
SANO	HEALTHY	(jélti)	56	SOMBRERO	HAT	(ját)	29
SASTRE	TAILOR	(téilor)	87	SONROJARSE	BLUSH (TO)	(tu blasch)	19
SAXOFÓN	SAXOPHONE	(sáksofon)	74	SOPA	SOUP	(sup)	37
SECO	DRY	(drai)	39	SOPORTE	KICKSTAND	(kíkstand)	18
SED (TENER)	THIRSTY (TO BE)	(tu bi thérsti)	112	SORPRESA	SURPRISE	(serpráis)	108
SEGUIR	FOLLOW (TO)	(tu fólou)	47	SORTIJA	RING	(ring)	93
SEGUNDO	SECOND	(sékend)	80	SÓTANO	BASEMENT	(béisment)	59
SEIS	SIX	(siks)	80	SUAVEMENTE	GENTLY	(yéntly)	50
SELLO	STAMP	(stám)	106	SUBIR(SE)	GET ON (TO)	(tu gueton)	51
SEMÁFORO	TRAFFIC LIGHT	(tráfic láit)	114	SUBIR(SE)	GET IN (TO)	(tu guetin)	51
				SUBMARINO	SUBMARINE	(súbmarin)	107
				SUCIO	DIRTY	(dérti)	38
				SUECIA	SWEDEN	(suíden)	76
				SUELO	FLOOR	(flor)	59
				SUEÑO	DREAM	(driim)	39
				SUÉTER	SWEATER	(suéter)	29
				SUIZA	SWITZERLAND	(suíserlen)	77
				SUJETAR	HOLD (TO)	(tu jold)	58
				SUPERMERCADO	SUPERMARKET	(súpermarket)	108
				SUR	SOUTH	(sáud)	79
				SUR ÁFRICA	SOUTH AFRICA	(sáud éfrica)	76
				SURESTE	SOUTH-EAST	(sáudíst)	79
				SURFING	SURFING	(sérfing)	10
				SUROESTE	SOUTH-WEST	(sáuduést)	79

T

Español	Inglés	Pronunciación	Pág.
TABLERO	DASHBOARD	(déshbord)	2
TABLERO DE HORARIOS	TIMETABLE	(táimteibl)	10
TALÓN	HEEL	(jíil)	2
TAMBIÉN	ALSO	(ólso)	1
TAN	SO	(sóu)	10

Español	Inglés	Pronunciación	Pág.
SEMANA	WEEK	(uík)	121
SENDERO	TRAIL	(tréil)	114
SENTARSE	SIT DOWN (TO)	(tu sit dáun)	100
SEÑAL	SIGN	(sáin)	99
SEÑALAR	POINT TO (TO)	(tu póint tu)	85
SEPTIEMBRE	SEPTEMBER	(septembr)	72
SÉPTIMO	SEVENTH	(séventh)	80
SER	BE (TO)	(tu bi)	16
SERPIENTE	SNAKE	(snéik)	101
SERVILLETA	NAPKIN	(nápkin)	75
SETA	MUSHROOM	(máschrum)	117
SEXTO	SIXTH	(siksth)	80
SI	YES	(iés)	125
SI	IF	(if)	61
SIEMPRE	ALWAYS	(ólueis)	11
SIESTA	NAP	(nap)	75
SIETE	SEVEN	(sévn)	80
SILENCIOSO	QUIET	(kuáiet)	90
SILLA	CHAIR	(chéer)	59
SILLÍN	SEAT	(síit)	18
SILLÓN	ARMCHAIR	(ármcheer)	14

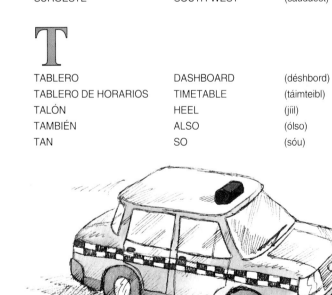

Español	Inglés	Pronunciación	Pág.
Español	**Inglés**	**Pronunciación**	**Pág.**

Español	Inglés	Pronunciación	Pág.
TENIS	TENNIS	(ténis)	105
TERCERO	THIRD	(therd)	80
TERMINAR	FINISH (TO)	(tu finish)	46
TERNERA ASADA	VEAL ROAST	(vilróust)	37
TESORO	TREASURE	(tréschur)	114
TÍA	AUNT	(ant)	44
TIBURÓN	SHARK	(schark)	98
TIEMPO	TIME	(táim)	112
TIEMPO	WEATHER	(wéder)	120
TIERRA	EARTH	(erd)	40
TIERRA	GROUND	(gráund)	54
TIGRE	TIGER	(táiguer)	13
TIJERAS	SCISSORS	(sísors)	96
TIMBRE	BELL	(beel)	17, 18
TIMÓN	RUDDER	(ráder)	10, 19
TINTA	INK	(ink)	62
TÍO	UNCLE	(ankl)	44
TIRAR	PULL (TO)	(tu pul)	88
TOALLA	TOWEL	(táuel)	113
TOBILLO	ANKLE	(énkl)	20
TOCAR	PLAY (TO)	(tu pléi)	85
TOCINO	BACON	(béiken)	22
TODO	ALL	(ool)	11
TOLETE	OARLOCK	(órlak)	19
TOMAR	TAKE (TO)	(tu téik)	109
TOMATE	TOMATO	(toméito)	117
TOMILLO	THYME	(táim)	103
TORONJA	GRAPEFRUIT	(gréipfrut)	49
TORRE DE CONTROL	CONTROL TOWER	(contról táuer)	10
TORTUGA	TORTOISE	(tórtes)	113
TOSTADA	TOAST	(tóust)	22
TRABAJAR	WORK (TO)	(tu uork)	124
TRAJE	SUIT	(sut)	29
TRASERO	BOTTOM	(bótom)	20
TRAVÉS (A)	ACROSS	(ekrós)	7
TRÉBOL DE CUATRO HOJAS	FOUR-LEAF CLOVER	(forlif clouver)	48
TREN DE ATERRIZAJE	LANDING GEAR	(lénding guíir)	10
TREN	TRAIN	(tréin)	106
TRES	THREE	(thri)	80
TRIÁNGULO	TRIANGLE	(traiengl)	98
TRINEO	SLEIGH	(sléi)	100
TRISTE	SAD	(sad)	95
TROMBÓN	TROMBONE	(trómbon)	74
TROMPETA	TRUMPET	(trámpit)	74
TROPEZAR CON	RUN ACROSS (TO)	(tu ran akrós)	94
TUBA	TUBA	(tiúba)	74
TUBO DE ESCAPE	EXHAUST PIPE	(éksast páip)	25
TULIPÁN	TULIP	(tiúlip)	47

Español	Inglés	Pronunciación	Pág.
APACUBOS	HUBCAP	(jabkáp)	25
APETE	RUG	(rag)	59
ARDE	AFTERNOON	(áftenun)	35
ARDE	LATE	(léit)	65
ARTA	PIE	(pái)	37
AXI	TAXI	(táxi)	110
AZA	CUP	(cap)	33
É	TEA	(ti)	22
EATRO	THEATRE	(tíater)	111
ECHO	ROOF	(ruuf)	25, 59
ELEFAX	FAX	(fax)	110
ELÉFONO	TELEPHONE	(télefon)	110
ELEVISOR	TELEVISION SET	(televíschion set)	110
ELEX	TELEX	(télex)	110
EMPERATURA	TEMPERATURE	(témperchur)	110
EMPRANO	EARLY	(érli)	40
ENEDOR	FORK	(fork)	48
ENER	HAVE (TO)	(tu jaf)	56

U

Español	Inglés	Pronunciación	Pág.
UN / UNO / UNA	A / AN	(éi, an)	7
UN CUARTO	QUARTER	(quárter)	89
UNIVERSIDAD	UNIVERSITY	(iunivérsiti)	115

Español	Inglés	Pronunciación	Pág.
UNO	ONE	(úan)	80
UÑA	NAIL (TOE-/FINGER-)	(néil/tóu/fínguer)	75
USAR (LLEVAR PUESTO)	WEAR (TO)	(tu uéar)	120
UVAS	GRAPES	(gréips)	49

V

Español	Inglés	Pronunciación	Pág.
VACA	COW	(cáu)	12
VACACIÓN	VACATION	(vekéischon)	116
VACACIONES	HOLIDAY	(jólidei)	58
VACÍO	EMPTY	(émpti)	41
VALLE	VALLEY	(válei)	116
VAMPIRO	VAMPIRE	(vémpair)	116
VAQUERO	COWBOY	(cáuboi)	33
VAQUEROS	JEANS	(gins)	29
VEGETALES	VEGETABLES	(végtabls)	117
VELA	SAILING	(séiling)	105
VELA	SAIL	(séil)	95
VELA	CANDLE	(kéndl)	24
VELOCÍMETRO	SPEEDOMETER	(spidámiter)	25
VENDER	SELL (TO)	(tu sel)	97
VENIR	COME (TO)	(tu cam)	31
VENTA DE BILLETES	TICKET WINDOW	(tíket uíndou)	106
VENTA DE BILLETES / BOLETOS	TICKET COUNTER	(tíket cáunter)	9
VENTAJA	ADVANTAGE	(edvántech)	8
VENTANA	WINDOW	(uíndou)	59, 123
VENTANILLA TRASERA	REAR WINDOW	(ríar uíndou)	25
VENTANILLA	WINDOW	(uíndou)	10, 25
VER	SEE (TO)	(tu si)	97
VERANO	SUMMER	(sómer)	97
VERDE	GREEN	(griin)	31
VESTÍBULO	HALL	(jol)	59
VESTIDO	DRESS	(drés)	29
VÍA	TRACK	(trak)	106
VIAJAR	TRAVEL (TO)	(tu trávl)	114
VIDRIO	GLASS	(glas)	52
VICTORIA	VICTORY	(víctori)	118
VIEJO	OLD	(óuld)	81
VIENTO	WIND	(uínd)	123
VIERNES	FRIDAY	(fráidei)	121
VINO	WINE	(uáin)	37
VIOLETA	PURPLE	(pérpl)	31
VIOLETA	VIOLET	(váielet)	47
VIOLÍN	VIOLIN	(váielin)	74
VISADO / VISA	VISA	(vísa)	118
VISTA	VIEW	(viú)	118
VÍVERES	GROCERIES	(gróuseris)	54
VIVIR	LIVE (TO)	(tu lif)	67
VIVO	ALIVE	(eláiv)	11
VOLANTE	STEERING WHEEL	(stíerinuil)	25
VOLAR	FLY (TO)	(tu flái)	47
VOLCÁN	VOLCANO	(volkéino)	118
VOTAR	VOTE (TO)	(tu vóut)	118
VOZ	VOICE	(vóis)	118

X

Español	Inglés	Pronunciación	Pág.
XILÓFONO	XYLOPHONE	(saílofon)	125

Y

Español	Inglés	Pronunciación	Pág.
Y	AND	(and)	1
YOGUR	YOGURT	(ióguert)	2

Z

Español	Inglés	Pronunciación	Pág.
ZAMBULLIRSE	DIVE (TO)	(tu dáiv)	3
ZANAHORIA	CARROT	(kérot)	11
ZAPATILLAS	TENNIS SHOES	(ténischius)	2
ZAPATO	SHOE	(shiú)	2
ZAPATOS DE TENIS	TENNIS SHOES	(ténischius)	2
ZIGZAG	ZIGZAG	(sígsag)	12
ZODÍACO	ZODIAC	(sóudiac)	12
ZORRO	FOX	(foks)	4
ZUMO DE FRUTAS	FRUIT JUICE	(frútgius)	2

EL ALFABETO INGLÉS THE ENGLISH ALPHABET *(de ínglish álfabet)*

Aa *Aa* APPLE

Bb *Bb* BANANA

Cc *Cc* CAR

Dd *Dd* DOG

Ee *Ee* ELEPHANT

Ff *Ff* FOX

Gg *Gg* GIRAFFE

Hh *Hh* HOTEL

Ii *Ii* INK

Jj *Jj* JAR

Kk *Kk* KOALA

Ll *Ll* LION

Mm *Mm* MOTORBIKE

Nn *Nn* NUT

Oo *Oo* ORANGE

Pp *Pp* PARROT

Qq *Qq* QUEEN

Rr *Rr* ROSE

Ss *Ss* SUN

Tt *Tt* TURTLE

Uu *Uu* UMBRELLA

Vv *Vv* VIOLIN

Ww *Ww* WATCH

Xx *Xx* XYLOPHONE

Yy *Yy* YOGURT

Zz *Zz* ZEBRA